カフカ・コレクション

# 流刑地にて

カフカ

池内紀＝訳



白水uブックス

Franz Kafka
In der Strafkolonie
und andere Drucke zu Lebzeiten
Kritische Ausgabe
herausgegeben von Wolf Kittler,
Hans-Gerd Koch und Gerhard Neumann


Published by arrangement with Schocken Books,
a division of Random House, Inc.
through The English Agency (Japan) Ltd., Tokyo

# 流刑地にて

目次

# 判決　一つの物語

――Fに

春の盛り、日曜日の午前だった。河沿いに背の低い、粗末な造りの家々がつづいている。屋根の高さと壁の色がちがうだけ。そんな並びの一軒、二階の自分の部屋で若い商人ゲオルク・ベンデマンが机に向かっていた。異国暮らしの幼な友達に手紙をひとつ書き終えたところで、遊び半分にわざとゆっくり封をしてから、机に肘《ひじ》をついて窓の外をながめていた。河が見える。橋が見える。対岸の丘がうっすらと緑をおびている。

彼はぼんやり考えていた。友人は家の暮らしが我慢ならず、もう数年前になるが一旗あげるべくロシアへ行ってペテルブルクで商売をはじめた。最初はけっこう順調だったが、そのうち左前になったらしい。国に帰ってくるのも次第に間遠くなった。それでも帰ってくるたびに愚痴《ぐち》っていた。異国で甲斐《かい》もなくあくせくしているだけのことなのだ。顔中に妙ちきりんなひげをはやしていたが、ひげの下からのぞいている幼なじみの顔は黄ばんでいて、病気のけはいがありげだった。当人の話では、同じ町に住む同胞とも、ろくにつながりをもたず、また土地の人とも交わりのないままに、ひとり住まいをつづける腹づもりらしかった。

このような男にどんな手紙が書けるというのだろう。あきらかに生き方を誤った人間であって、同情はできても手助けはできない。国に帰ってきて生活を立てなおすのはどうか、古い友人もいないではなし——友情に変わりはないのだ——旧のよしみをあてにしてはどうか、などと言えるだろうか？　思いやりをこめればこめるだけ、よけい相手を傷つけることになりかねない。つまりそれは、すべては失敗だったわけで、もうそろそろ見切りをつける潮《しお》どきだ、もどって来い、みんなにあわれみの目で見られるだろうがやむをえない、おまえは齢《とし》をくった子供であって、こちらで成功している世間通の友人たちをお手本とするがいい、と告げ立てするようなものではないか。そんなことをしてみても、しょせんは相手を苦しめるだけで何の益にもならないのではなかろうか。そもそもこちらにもどって来させることすら怪しいだろう——故国《くに》の事情がさっぱりわからないと、当人がこぼしていたではないか——意地でも異国にとどまっているだろう、よけいなお節介だと腹を立て、ますます背を向けることになりかねない。かりに忠告に従ってもどって来たとしても——誰のせいでもなく、要するに事情のしからしむるところだが——意気消沈のまま友人ともうまくいかない、そのくせ友人なしには立ちゆかず、屈辱に苦しむだけ、となれば生まれ故郷も友人もなくしてしまったも同然であり、そんなことなら、今のまま異国にとどまっている方がいいのではあるまいか？　現状のようなありさまでは、たとえもどって来ても、何がよくなるわけでもないのではなかろうか？

そんなわけで、ともかく手紙のやりとりだけはつづけようとは思いながら、なんてことのない知人にも気づかいなしにつづけている本来の手紙づきあいというものができなくなっていたのである。友人はもう三年このかた一度も故郷に帰ってこない。ロシアの政情が不安で、しがない商売人はいっときも目がはなせない、というのが彼の言いたてる口実だったが、しかしながら何千、何万ものロシア人が何の支障もなく旅行に出ているのだ。ともかく、この三年のあいだにゲオルクにとってはいろんなことがあった。およそ二年前に母が死んで以来、年老いた父といっしょに住んでいる。そういえば母の死の際、友人は味もそっけもない悔みの手紙を寄こしたものだ。異国にいると哀しみの情といったものが涸《か》れてしまうからにちがいなかった。ともあれそれ以来、ゲオルクは何ごとにも全身全霊でとりくみ、家業にも励んできた。母が生きていたころは、父が自分の考えばかり押し通そうとしたせいもあって、あまり仕事に身が入らなかった。父は今もやはり商売にたずさわっているが、つれあいをなくして気が弱くなったようだ。もしかすると、たまたま幸運が重なっただけのことかもしれないが――それは大いにありうること――ともあれ二年この方、商売は思いがけず景気がいい。傭《やと》い人も倍にした。売り上げは五倍、この先ますますの上り調子が目にみえている。

友人の方はそんなこととはつゆ知らず、最後の便りは例の悔みの手紙だったと思うのだが、そのなかでゲオルクにロシアへの移住を考えてみろ、などと書いていた。おまえの商売ならペテルブルクではこれほどの見込みが予想できるといって、とくとくと数字をあげていたが、それは現在の商《あきな》い高からいえばお笑い草のものだった。だが、ゲオルクは友人に自分の成功ぶりを話す気にはなれなかった。言いそびれたまま時がたった。いまさらあらためて告げたりすれば、よけいおかしなことにちがいない。

だから彼はこれまで、たわいのないことばかりを手紙に書いてきた。静かな日曜日にぼんやりしていると、とりとめもなく頭にうかんでくるようなしろものである。友人が自分の生まれ故郷に対して抱いているイメージを壊したくなかった。離れている間に自分勝手につくりあげ、後生大事に抱いているのだ。そんなわけでゲオルクはずいぶん間隔をおいて出した三通の手紙の中で、何某氏と何某嬢とが婚約したなどと、どうでもよい男女のことを書いたりしたのだが、友人は思いがけず、その顛末《てんまつ》を知りたがったりするのだった。

ゲオルクには、そんなことを書く方が気が楽だった。彼は自分がひと月前に、フリーダ・ブランデンフェルトという金持の娘と婚約したことを言いそびれていた。その婚約者には何度も友人のことを話したし、いまだに手紙をやりとりしていることも隠さなかった。

「とすると、そのかたは、わたしたちの結婚式には出てこられない」

と、婚約者は言った。

「でも、わたしはあなたのお友達を、のこらず知っておきたいわ」

「気持をそこないたくないからさ」

ゲオルクは答えた。

「言えばあいつは来るだろう。でもしぶしぶだろうよ。腹の中では迷惑がってのこと、ぼくを妬《ねた》むかもしれない、自分をみじめに思うだろう、どうしようもなくみじめになる。そんな気持を抱いたまま、ひとりで異国にもどらなくちゃならない。たったひとりでだぜ——わかるかな」

「そうね。でもそのかた、よその人からわたしたちの結婚のことを耳にしたりなさらないかしら」

「それはそれで仕方がない。だけど、今のあの暮らしぶりでは、そんなことはないと思うね」

「そんなお友達がいらっしゃるんだったら、わたしと婚約などしなければいいのに」

「悪いのはわれわれさ。でも、後悔などしないよ」

キスをした。彼女があえぎながら言った。

「でも、わたし、いやだわ」

そのときゲオルクはふと、友人に洗いざらい伝えてもいいような気がした。

(あるとおりの自分を受けとってもらうしかない)

と、彼は自分に言いきかせた。

(友情のためにはいいからって、ありもしない自分をつくれやしない)

実際、ゲオルクはいま書きあげたばかりの長い手紙に、こんなふうに婚約のことを書いたのである。

《おしまいにとっておきのニュースをお伝えしておく。ぼくはフリーダ・ブランデンフェルトという女と婚約した。資産家の娘だ。君が町を去ってから、かなりあとに越してきた。だから君は知るまい。婚約者については、いずれくわしく話すとしよう。只今のところは勘弁してくれたまえ。ぼくは幸せだ。だからといって君との友情に変わりはない。彼女は君によろしくと言っている。この次には直接手紙を書くそうだ。君はひとりの誠実な女友達を得たってものだぜ。ひとり者には大したことじゃないか。いろいろ事情があって帰りにくいのは承知している。だけどぼくの結婚式をいい機会にしてみてはどうだ。何もかもうっちゃって一度舞いもどってみないかね。何がどうあれ、いっさい君の気持にまかせる》

手紙をもったままゲオルクは窓の外をみつめて机の前でぼんやりしていた。知人が通りすがりに小路から挨拶したが、曖昧《あいまい》な微笑を返しただけだった。

手紙をポケットに入れて彼はゆっくり立ち上がった。部屋を出て、小さな廊下を斜めに歩いて父の部屋へ行った。そこにはもう何か月も足を踏みいれたことがない。その必要がないせいもあった。父とはのべつ店で顔を合わしている。昼食だって同じ食堂でとる。夜はおたがい好きなように過ごす。その夜ですら、ゲオルクが友人と過ごしたり、あるいはこのところのように婚約者を訪ねたりしなければ、同じ居間でたがいに好きな新聞を読んでいるのである。ゲオルクはビクッとした。陽が輝いている午前だというのに、父の部屋はずいぶん暗い。猫の額《ひたい》ほどの中庭の向こうに塀がそびえていて、影を落としているからだ。部屋の隅に死んだ母の形見が飾ってある。父はその隅に近い窓ぎわで新聞を読んでいた。視力が衰えているのを補うためだろう、新聞を斜めにかざして読んでいる。テーブルの上に朝食の食べ残しがあった。あまり食欲がないらしい。

「おまえか！」

父が立ち上がった。重々しいガウンの前が開いて、足にまといつく。

（親父って、あいも変わらず大きいや）

と、ゲオルクは思った。

「この部屋、いやに暗いですね」

「ああ、暗い」

と、父が答えた。

「窓は閉めっぱなし？」

「その方がいいんだ」

「外はずいぶんあたたかいですよ」

言いわけをするように言ってゲオルクは腰を下ろした。父は朝食の皿を片づけて戸棚に運んだ。

「ちょっとお伝えしとこうと思いましてね」

父の動きをぼんやりと目で追いながら、ゲオルクが言った。

「婚約の一件をペテルブルクへ知らせることにしました」

ポケットの手紙を心もち引っぱり出して、すぐにもどした。

「どうしてペテルブルクだ?」

と、父がたずねた。

「ほら、例の友人ですよ」

ゲオルクは父の目を見ようとした。

(店にいるときと、ずいぶんちがうな。どっしり坐って腕組みなどしてる)

と、ゲオルクは思った。

「そうそう、おまえの友人だな」

ゆ・う・じ・ん、と父は妙に強調して言った。

「彼には知らせないでおこうと、前に言いましたよね。事情を考慮してのことであって、ただそれだけの理由です。お父さんもごぞんじでしょう、あの男は気むずかしいのです。よその人からぼくが婚約したことを耳にするかもしれません。まあ、人づきあいのない男ですから、よもやとも思いますが——その場合はその場合として——こちらからは言わないでおこうと思っていたのです」

「考え直したというわけか」

父は広げたままの新聞を窓枠の上に置き、眼鏡をもった片手でそれをおさえている。

「ええ、考えてみれば彼は親しい友人だし、とすればぼくの幸せをよろこんでくれるはずです。知らせて悪かろう道理がないのです。手紙を投函する前に、お父さんに言っとこうと思いましてね」

「ゲオルク」

父は歯のない口を引きしめた。

「まあ、お聞き！　おまえはわざわざ知らせに来てくれた。うるわしいことだとも。しかし本当のことを言うのでなければ、まるで無意味だ。いや、もっと悪い。らちもないことで騒ぐつもりはないのだが、母さんが死んでからというもの、おもしろくないことが多々《たた》あった。それについては、いずれ話す。思いのほか近いうちに話すことになるかもしれん。仕事の方でもわしはのけ者だ。わざとではあるまい——そんなことは考えたくもないことだからな——わしも齢をとった。忘れっぽくもなった。あれこれ何にでも目くばりがきくわけじゃない。齢をとれば当然の成り行きだし、それに母さんに死なれたことが、おまえなどよりずっと痛手だったせいもある——しかしだ、いまの件だけは我慢ならんぞ。その手紙のことだ。どうして嘘をつく。つまらんことじゃないか。馬鹿な話じゃないか。嘘はやめろ。おまえ、ペテルブルクに友人などいやせんだろう?」

ゲオルクはおずおずと立ち上がった。

「友人のことはおいとくとしましょう、どれほどの友人もお父さんには代えがたいのです。いいですか、もっと自分をいたわってください。お齢からして無理はききませんよ。お父さんは店の大黒柱です。それはいうまでもありません。でもそのためにお父さんの健康が損われるようなら、明日にでもぼくは店を閉めます。いいですとも、お父さんのために別の生き方を考えます。全然別の生き方ですね。こんな暗いところに坐っているよりも居間の方がずっと明るいじゃありませんか。力をつけなくちゃいけないのに朝食だって舐《な》める程度じゃありませんか。窓を閉めっぱなしですが、外気にふれるのはからだにいいのです。だめですよ、お父さん! 医者にみてもらわなくちゃあ。医者の言いつけどおりにしてください。ぼくと部屋を取り替えましょう。お父さんは表の明るい部屋、ぼくがこちらに移ります。だからって落ち着かないとは言わせませんよ、身の回りのものも全部もっていくのですから。だけど今すぐというわけにもまいりません。さしあたってはぼくのベッドでお休みください。その方がいいですとも」

すぐ前に父がいた。白髪《しらが》がもじゃもじゃにもつれている。うなだれている。

「ゲオルク」

父がささやくように言った。身動き一つしない。

ゲオルクはいそいでひざまずいた。父の疲れた顔が目の上にあった。瞳孔が異様にひらいて黒目を寄せてゲオルクを見つめていた。

「ペテルブルクに友人などいやせんだろう。おまえは悪ふざけが好きだ。父親にもふざけてみせようというのだな。どうしてよりによってペテルブルクに友人がいたりするのだ！わけのわからん話じゃないか」

「どうか思い出してください」

父を肘掛椅子から起こしてガウンをぬがせた。とたんに父が弱々しくみえた。

「もう三年も前になりますが、訪ねてきたじゃありませんか。ぼくはまだ覚えていますよ。お父さんはいい顔をしませんでした。二度、ぼくにたずねましたよ。二度ともぼくは友人など来ていないと答えました。本当はまさにぼくの部屋にいたのですがね。お父さんはあの男が嫌いだった。わかりますとも、変わり者ですからね。でも、あのあと、お父さんは機嫌よく話をなさったじゃないですか。ぼくはとてもうれしかった。お父さんが友人の話に耳を傾け、うなずいて、質問したりしてくださったことがです。きっと思い出せますとも。友人はあのとき、ロシアの革命にまつわる途方もないことを話してくれました。商用でキエフへ行ったところ、ひとりの司祭が露台に立って、掌《てのひら》に十字を深々と刻んで、血のしたたるその手を群衆にかざしていたといった話をしてくれたじゃありませんか。お父さんはあとあと、この話を方々で吹聴なさっていましたよ」

そんなことを言いながら、もう一度父を椅子に坐らせ、トリコットのズボンと靴下をぬがせた。汚れのめだつリンネルのパンツを見て、ゲオルクは胸が痛んだ。なおざりにしてきたのである。下着の取り替えに気をくばるのは息子のつとめというものだろう。彼はこれまで婚約者と父のことについてきちんと話していなかった。というのは暗黙のうちに二人とも、父はなじみのこの住居にいるものと思いこんでいたからである。父を引きとらなくては、と即座に決めた。よく考えてみれば、そのときになって世話をやくのは遅すぎるかもしれないのだ。

両腕に父をかかえてベッドへ運んだ。ほんの数歩のベッドまでいく間、父はゲオルクが胸につけている時計の鎖で遊んでいた。ゲオルクはギョッとした。父が鎖を握ったままはなさないので、ベッドに入れるのに手こずった。ともあれベッドに寝かせると安心したらしく、自分で毛布を肩のところまで引き上げ、親しみをこめてゲオルクを見上げた。

「どうです、思い出しましたか?」

ゲオルクは励ますようにうなずきかけた。

「ちゃんとくるまれているのかな」

父がたずねた。足の方が自分でもわからないらしかった。

「やはりベッドがいいでしょう」

ゲオルクは毛布をとってくるみ直した。

「ちゃんとくるまれているのかな」

父がくり返して言った。返答に耳をすましているふうだった。

「心配ご無用、ちゃんとくるまれていますとも」

「そうはさせん!」

父が叫んだ。毛布を力一杯はねのけた。その勢いで毛布がパッとひらいて宙に浮いた。父はベッドの上に仁王立ちした。片手をのばして天井に添えている。

「悪ガキめ、わしをくるみこもうというのだろうが、そうはさせんさ。このとおり老いぼれたが、おまえごときにひけはとらん。まだまだ十分、力がある。おまえの友人ならおなじみだとも。実《じつ》の息子といっていいほどだ。だからこそもう何年も、おまえはあの男に嘘をついてきたのだ。そうにちがいあるまい。わしがあの男のために泣かなかったとでも思うのか？おまえはよく店の奥にこもっていた。仕事中は立ち入るべからずなどと言ってだ――あのときロシアへの嘘っぱちの手紙を書いていたのだろう。しかしだ、親父ってものは、どこの誰さまにおそわらずとも息子の心は読めるものだ。うまいこと騙《だま》したつもりでいただろう、まんまと尻の下に敷いたとな。だからこそ息子殿はご結婚を決断なさったというわけだ！」

憤怒《ふんぬ》の父が立っていた。突然、ペテルブルクの友人をよく知っているなどと言う。その友人の姿がまざまざと浮かんできた。遠いロシアで途方にくれている。店が掠奪にあった。荒涼とした店の戸口に佇《たたず》んでいる。棚は落ち、商品は踏みにじられ、ガス灯の腕木が垂れさがった下に、友人がぼんやりと立っている。どうしてあんなに遠いところへ行かなくてはならなかったのだ！

「わしを見ろ！」

父が叫んだ。ゲオルクは放心したまま、何かにすがろうとでもするようにベッドへ近づいた。だが、途中で足がとまった。

「女がスカートをまくり上げたせいだ！」

父がかん高い声でしゃべりだした。

「あのすべた女がスカートをまくり上げた。こんなふうにな」

父は夜着をまくり上げた。太股《ふともも》がむき出しになり、戦争中に受けた傷がまる見えになった。

「スカートをまくり上げた。こんなふうにだ。こんな具合だ。こうやってだ。おまえは女のところへすり寄った。女とねっちり楽しみたいものだから。母さんの思い出を辱《はずか》しめ、友人をだまくらかし、父親をベッドに押しこんだ。動けないようにするためだ。しかし、親父は動けるぞ、どうだ、見ろ、このとおりだ」

すっくと立って脚を交互に蹴りあげた。自分の見通しの正しさにひかり輝いている。

ゲオルクはなるたけ父からはなれて片隅に立っていた。ずっと前のことだが、何ごとも冷静に、正確に観察しようと心に決めたことがある。そうすれば脇や背後や頭上から、やみくもに不意打ちをくらうこともないのだ。永らく忘れていた決心だが、今ふと思い出した。しかし針の穴から短い糸をつと引き抜いた具合で、すぐさま忘れた。

「おまえの友人だって騙されていたのではないのだ！」

父がわめいた。人差し指をゆらゆら動かしている。

「わしがこの町であの男の代理人をつとめていたのだ」

「おどけ者！」

ゲオルクは思わず叫んだ。あわてて口をつぐんだが遅かった。どこやら傷が痛んだ。目が引っぱられるような気がした。舌が疼《うず》いた。

「そうとも、おどけていた。そうだとも、おどけだ。うまい言い廻しじゃないか！　女房をなくした男やもめに、ほかにどんな楽しみがある？　言ってみろ、答えてみろ。せめてその間、血をわけた息子としてだ——この陽あたりの悪い部屋で、たちの悪い使用人にいたぶられ、老い朽《く》ちたこのわしに、ほかにいったい、何ができる？　息子は世間で大浮かれ、父親が汗と涙で築いた店をうっちゃらかして、おたのしみに明け暮れしている。父親を見てもツンとすまして洟《はな》もひっかけない！　このわしがおまえをいとしがらなかったことがあるか。実の父親のこのわしが！」

（前かがみになるがいい）

と、ゲオルクは思った。

（すると転がり落ちる。いち、、、ころだ！）

そんな言葉が頭をかすめた。

父は前かがみになった。しかし、転がり落ちない。期待に反してゲオルクが駆けよってこないので、父はまたすっくと背をのばした。

「そこにいろ。いるがいい。おまえなど用なしだ！　近づく力はあるんだが、わざと近づかないだけだと思っているな。そうだろう。とんでもない！　わしはいぜんとして、おまえなどよりはるかに強い。わしひとりではくじけたかもしれんが、母さんが力をかしてくれた。おまえの友人と固く手を結んでいたのだ。おまえに関することは全部、このポケットに収まっている！」

（夜着にまでポケットをつけている！）

と、ゲオルクは思った。

これを世間に言いふらせば、父の体面はまるつぶれ、などとも思ったが、とたんに忘れていた。思うはなから次々と忘れていく。

「いいなずけとくっつき合って出て来やがれ！　わしが女を放り出してやる。うまいもんだぞ！」

そんなことはとても信じられないというふうにゲオルクはしかめ面《つら》をしてみせた。一方、父は自分で自分の言葉を保証するかのようにゲオルクのいる片隅に向かって大きく一つうなずいた。

「友人に婚約の一件を知らせると、わざわざ言いにくるとはどうだ。いや、もう、おかしいのなんの。友人は何もかも知っているとも。抜け作め、何もかも承知の上だ。わしが書き送っていたからな。わしからペンとインクを取りあげなかったのが、おまえの手ぬかりよ。だからこそ、あの男はこの数年来、一度も帰ってこなかったのだ。おまえなどよりもはるかによく知っている。おまえの手紙は読むまでもなかったのだな。左手で握りつぶして、右手でわしからの手紙をもって読んでいたわさ！」

父は頭上で腕をぐるぐると振りまわした。

「千倍も知っていたわさ！」

「一万倍と言えばいいでしょう！」

嘲《あざけ》るつもりで言ったのに、ゲオルクの口の中で、いとも厳粛なひびきをおびた。

「この何年というもの、おまえが言いにくるのを待っていたのだ。ほかにどんな楽しみがある？　わしが新聞を読んでいたとでも思っているのか。ほら、みろ！」

ゲオルクめがけて新聞を投げつけた。どういうわけかベッドに一枚、まぎれこんでいたらしいが、古い新聞だった。名前もさっぱり覚えがない。

「おまえはいっこうにひとり立ちしようとしなかった！　母さんは待ちきれず死んでしまった。友人はロシアくんだりでくたばりかけている。三年前には黄ばんだ紙屑みたいになっていた。このわしはどうだ、どんな様子だ、目があるからには見えるだろう！」

「罠《わな》をかけて待っていたのですね！」

ゲオルクが叫んだ。

あわれみの表情を浮かべて、こともなげに父が言った。

「もっと先《せん》なら、そのとおりだ。今となっては、その言い草は大げさすぎる」

つづいて声を張り上げた。

「自分のほかにも世界があることを思い知ったか。これまでおまえは自分のことしか知らなかった！　本来は無邪気な子供であったにせよ、しょせんは悪魔のような悪《わる》だったわけだ！――だからこそ知るがいい、わしはいま、おまえに死を命じる、溺れ死ね！」

ゲオルクは部屋から追い立てられたような、そんな気がした。背後で父が音をたててベッドにくずれた。その音が耳の奥にひびいていた。斜面を走るように階段を駆け下りた際、部屋の掃除にやってきた女中と衝突しかけた。

「あれま！」

女中が悲鳴をあげて前掛けで顔を覆ったとき、ゲオルクはもう駆け抜けていた。戸口をとび出し、車道を走って河へ向かった。早くも橋の手すりを、飢えた人が食べ物に手を出すようにしてつかんでいた。つづいて体操の名選手さながらひらりと手すりをとびこした。事実、彼は幼いころ体操が得意で、両親は鼻高々だったものである。ゲオルクは手すりをしっかり握りしめていた。次第に力が失せていく。欄干《らんかん》の鉄の桟《さん》ごしにバスが走ってくるのが見えた。ごうごうと音が近づいてくる。彼は小声で言った。

「お父さん、お母さん、ぼくはいつもあなた方を愛していました」

そして手を放した。

この瞬間、橋の上にとめどない無限の雑踏がはじまった。

# 流刑地にて

「実にたいした機械でしてね」

学術調査の旅行家にむかって将校が言った。そしてとっくにおなじみのはずの機械を、あらためて感嘆の面《おも》もちでしげしげと見つめた。まもなく兵士が一人、処刑される。不服従、並びに上官侮辱の罪だという。司令官から死刑執行の立ち会いに招かれ、旅行家は断わりきれず、お義理でやってきた。流刑地でもこのたびの死刑執行は、あまり関心をひいていないらしく、すり鉢《ばち》の底のような小さな谷間には将校と旅行家のほか当の囚人がいるだけで、荒寥とした砂地の斜面が四方にひろがっていた。囚人はまぬけづらで大きな口をしていた。顔も髪もよごれ放題によごれていた。踝《くるぶし》と手首と頸《くび》に小さな鎖がついており、別の鎖が頸と手足をつないでいる。さらにこれに重々しい鎖がついて、その端を一人の兵士が握っていた。しかし、みたところ囚人は犬のようにおとなしそうで、鎖を外して斜面で好きなようにさせていてもよさそうだった。いざ死刑というときに口笛を吹きさえすれば、すぐさま駆けもどってくるだろう。

旅行家は機械に興味がないらしかった。手もちぶさたなようすで、ただなんとなく囚人のうしろをうろうろしていた。一方、将校は地中深く据えつけられた機械の下にもぐりこんだり、梯子《はしご》をのぼって上の部分を点検したり、最後の仕上げに余念がなかった。機械工にまかせればよさそうなのに将校みずから熱心にかかずらっていた。この機械に特別の思いでもあるのか、それとも何かわけあって誰にもまかせられないのか、どうなのか。

「よし、準備完了!」

ようやく声をかけて梯子を下りてきた。将校は疲れていた。口をあけて喘《あえ》ぐように息をして、薄い婦人用のハンカチを二枚、首すじに押しこんだ。

「こんな暑い地方でその軍服はきついでしょう」

将校の期待に反して、旅行家は機械のことはたずねなかった。

「いかにも」

と、将校は言った。ついで用意してあったバケツの水で油脂にまみれた手を洗った。

「しかし、われわれにとって軍服は故里といったものでありまして、故里を失いたくはないのです——まあ、ごらんください」

タオルで手を拭うなり、その手で機械を指さした。

「以前は手作業が必要でしたが、いまは機械がすっかりやってくれます」

旅行家はうなずいて、将校のあとについて歩いた。もう一度、最後の点検を終えてから将校が口をひらいた。

「どれほど念をいれても故障はおこるものです。本日はおこらないといいのですが、それなりの覚悟はいたしておきませんとね。この機械はまる十二時間、ずっと動いていなくてはなりません。たとえ故障しましても、たいていはちょっとした故障でありまして、すぐに修理がつくのです」

それから旅行家に声をかけた。

「おかけになりませんか」

かたわらに積み上げてある椅子の山から一つを引っぱりだして旅行家にすすめた。断わるわけにいかないのだ。旅行家は穴のそばの椅子に腰を下ろした。そしてチラッと穴をのぞいた。たいして深い穴ではなかった。掘り返されて土が一方の側に壁状に積んであった。反対側に機械が据えつけてある。

「この機械のことは、もう司令官からお聞きになりましたか」

旅行家は曖昧な手つきをした。将校は重ねてたずねなかった。これ幸いとばかりに、いそいそと説明をはじめた。

「そもそもこの機械は――」

突き出たハンドルをつかむと、からだをもたせかけた。

「前司令官の発明品でありまして、不肖わたくしはそもそもの最初からかかわってまいりました。完成まで、ともに仕事をしてまいったのです。とはいえ、なんといってもすべては前司令官の功績でありましてね。あなた、先の司令官のことについて、何かお聞きになりましたか？　ほほう、何一つお聞きになったことがない？　ならば申しますが、この流刑地の機構そのものが、前司令官の業績と申しても過言ではありますまい。その死に際して、われわれ友人たちは思ったものです。この流刑地の機構は非の打ちどころがない、だから後任の司令官にたとえ独自の考えがあるとしても、少なくとも数年間は全然手をつける必要がないだろうとですね。事実、そのとおりでありました。この点、後任の司令官も認めざるをえなかったのです。それにしても先の司令官とご昵懇《じっこん》でなかったとは、まこと残念でありますなあ！」

将校はひと息いれた。

「まあ、おしゃべりはこれで切りあげるといたしまして、さてこの機械ですが、ごらんのとおり三つの部分からできております。それぞれがいつのまにやら、あだ名でよばれるようになりましてね。ちなみに申しますと、下のところは《ベッド》であります。上の部分は《製図屋》とよばれております。それから真中のブラブラしたのが《馬鍬《まぐわ》》であります」

「まぐわですって?」

旅行家は問いなおした。ちゃんと聞いていなかったのだ。剝きだしの谷底に太陽がじりじりと照りつけていた。ややもすると頭がぼうっとしてくる。それだけなおさら将校が驚異的だった。パレードの礼服のように総《ふさ》飾りや飾り紐のついた軍服をきちんと着て、熱心に説明するだけでなく、その間、かたときも手を休めないのだ。ねじ廻しであちこちのねじを締め直したりしていた。旅行家と同じく見張りの兵士もぼんやりしていた。囚人をつないだ鎖を両の手首にまきつけたまま、片手に握った小銃によりかかり、がっくり首をたれたままピクリとも動かない。やむをえないだろう、と旅行家は思った。将校はフランス語でしゃべっており、それは兵士にも囚人にもチンプンカンプンの言葉にちがいなかった。だからこそよけい奇異な感じがしたのだが、囚人は意味を聞きとろうと懸命になっていた。愚鈍なしつっこさといったぐあいに、将校が指さすと、そのつど急いでその方《かた》を見やるのだった。旅行家が質問をさしはさんだとき、将校と同じように、まじまじと旅行家の顔を注視した。

「まぐわとおっしゃいましたか？」

「ええ、まぐわです」

と、将校が言った。

「まさにぴったりですよ。鉄の針がまぐわ状にとりつけてありまして、そのうえ全体がまぐわと同じように作動するのです。もっとも、こちらは一点に固定しておりますし、性能の点でも段ちがいに精巧ですがね。すぐにおわかりになりますよ。そんなわけで、つまり《ベッド》に囚人を寝かせるのです——まず機械の性能をお話ししておいて、あとで実地に動かしてみるとしましょう、そのほうがおわかりになりやすいでしょう。というのも《製図屋》の歯車がすりへっておりまして、動きだすとやたらに軋《きし》るのですね。話し声がほとんど聞きとれないのです。ここでは部品の調達がきわめて困難なのであります——それはまあそれとしまして、いまも申しましたようにこれが通称《ベッド》であります。全体に何重もの綿が張りつけてあります。なぜか？　それについてはのちほどご説明するといたしまして、この綿の上に囚人を腹這いにして寝かせます。むろん、まっ裸です。革ひもがついておりますが、これで両手を縛ります。そちらの革ひもで両足、こちらの革ひもで頸を固定いたします。腹這いにして寝かせると申しましたが、ちょうど顔のあたるところに小さなフェルトの栓のようなものがみえましょう。調節できるようになっておりましてね。囚人がわめいたり舌を嚙み切ったりしないように、このフェルトの栓を口の中に押しこむのです。口に含ませるのです。そうでもしないと、頸を固定している革ひものために首の骨が折れかねないのです」

「これが綿ですか?」

旅行家は前かがみになった。

「ええ、綿です」

将校はほほえんだ。

「たしかめてみてください」

旅行家の手をとって《ベッド》の上へ引きよせた。

「特別注文で作らせたものでして、とても綿とはみえないでしょう。なぜこれが必要なのかは、のちほどお話しいたしましょう」

旅行家は興味をそそられたらしかった。片手で陽をさえぎって上を見あげた。機械はどっしりとそびえていた。《ベッド》と《製図屋》とは、ほぼ同じ大きさで二つの陰気な棺のように見えた。《ベッド》の上、約二メートルのところに《製図屋》がとりつけてある。四方の真鍮《しんちゆう》の支柱が光っていた。二つの棺のあいだに鋼鉄製の《まぐわ》がぶら下がっていた。

旅行家が先ほどまで面白くもなさそうにしていたことに将校はほとんど気づいていなかったのだが、相手がいま興味をそそられていることは感じとったらしく、説明を中断して、じっくりながめるための間をおいた。さっそく囚人が旅行家のまねをする。ただし、手を額にかざすわけにいかないので、しきりに目をしばたたきながら上を見あげた。

「つまり、腹這いにさせるのですね」

椅子の背もたれにもたれかかって、旅行家は脚を組んだ。

「ええ」

将校は帽子をちょっと押しあげ、ほてった顔をひと撫でした。

「くわしくご説明いたしましょう。《ベッド》にも《製図屋》にも、それぞれバッテリーがついております。《ベッド》のバッテリーはそれ自体を動かすためのものですが、《製図屋》のバッテリーは、下の《まぐわ》を動かすためのものでしてね。囚人を固定させると、《ベッド》が動き出すのです。ほんのわずかな動きですが上下左右によく動きます。どこかの病院でこんな装置をごらんになったことがありませんか。ただし、この機械は一つの点でちがっております。動きがすべて正確に計量ずみなのです。《ベッド》の動きが《まぐわ》の動きと、ぴったり一致するようになっておりまして、まさしくこの《まぐわ》が判決を執行するのです」

「判決といいますと？」

「そんなことすらご存じない？」

将校は唇を噛んだ。

「どうも失礼いたしました。わたくしの説明が足らないのかもしれません。なにとぞご勘弁いただきたい。以前は司令官がじきじきに説明いたすことになっていたのですが、新しい司令官は晴れのその役目を回避しておりましてね。このたび、このように立派なお方がおこしになったというのに――」

旅行家は両手で打ち消す仕草をしたが、将校はかまわず同じことばをくり返した。

「――このたび、このように立派なお方がおこしになったというのに、いかなる判決かすらお伝えしていないとは――」

罵倒のことばを口にしかけたが、あわててやめた。

「この点につき自分はなんらの通達も受けておらず、非はあげて司令官にあるのです。それはともかく、判決の様式をご説明するとなれば、自分こそ最適任者でありましょう。と申しますのも——」

将校は内ポケットを叩いてみせた。

「ここに先の司令官が描いた手書きの図面をもっておりますからね」

「司令官の手書きの図面ですって?」

旅行家がたずねた。

「とすると司令官は全部を一人で兼ねていたわけですか? 兵士であり、判事であり、機械工であり、化学者であり、そのうえ図面も引いたのですか?」

「そのとおり」

もの思いにふけったような目つきで将校がうなずいた。ついで自分の手をじっと見つめた。図面に触れるのには清浄さが足りないとでも思ったのか、やおらバケツのところへいって念入りに手を洗った。それから小さな革製の書類入れを取り出した。

「われわれの判決は、とりたてて酷《きび》しいものではありません。当人が犯した罪を《まぐわ》でからだに書きこむのです。たとえば、この男の場合——」

将校は囚人を指さした。

「――《上官を敬うべし!》とですね、からだに書きこむわけですよ」

旅行家はチラリと囚人に視線を走らせた。将校に指さされたとき、囚人はうつむいて、せめて何か意味を聞きとろうと耳をすましていたようだった。しかし、その厚ぼったい唇のぐあいからも、あきらかに何一つわかってはいなかった。旅行家はいろいろなことをたずねたかったが、囚人のようすをみて、ただこう訊《き》くだけにした。

「どのような判決を受けたのか、当人は知っているのでしょうね」

「知っておりません」

いそいで説明しようとするのを旅行家がさえぎった。

「自分が受けた判決を知らないのですか」

「ええ」

なぜそんなことを訊くのか、むしろそれを知りたいとでもいうふうに将校は口をつぐんだ。

「わざわざ告げてやる必要などないのです。当人のからだで知るのですから」

囚人が灼《や》くような目つきで旅行者をうかがっていた。いまの言葉に承服できるかどうか問われているような気がして、旅行家はふたたび前かがみになった。

「しかし、ともあれ判決を受けたということは知っているのでしょうね」

「それも知りません」

もっと奇妙な質問でもさあどうぞ、とでもいうように将校はほほえみかけた。

「ほほう」

旅行家は額に手をそえた。

「とするとこの男は、自分の釈明がどの程度とりあげられたのか、いまだにわかっていないのですか?」

「釈明の機会などなかったのです」

こんな当然のことをわざわざ話して相手に恥をかかすのは気がすすまない、というふうに将校は横を向いて、ひとりごとのように言った。

「誰であれ釈明の機会が与えられるはずじゃありませんか」

そう言って旅行家は立ちあがった。将校は一時、機械の説明を中断するのもやむをえないと覚ったらしく、旅行家に近づくと、したしげに寄りそって囚人を指さした。とたんに囚人が、まさに自分が話題になっているのをみてとって、きよつけい! の姿勢をとったので、見張りの兵士の手の中の鎖がピンと張った。

「つまり、こうなのです、わたくしがこの流刑地の裁判官なのです。若輩の分際で大役をおせつかったというのも、あらゆる刑罰沙汰に際して、いつも先の司令官の補佐役をつとめてきたからでありまして、それにこの機械のことをもっともよく知っているからでもありましてね。わたくしがよりどころとする原則によれば、罪は断じて疑うべからずであります。よその法廷ではみかけない原則でありましょうが、それと申しますのも、よその法廷には裁判官が何人もいて、さらに上級審というものがあるからです。ここではそんなものはありません。少なくとも先の司令官のころまではそうでした。新しい司令官はわたくしの判決にくちばしを入れたそうにしておりますが、これまでのところ、一切くちばしを入れさせませんでしたし、今後とも、そんなことをさせるつもりはありません――ところでこのたびの事件でありますが、ご説明いたしましょう。いつもと同様、単純至極な事件でありまして、今朝がた、ある大尉から告発があったのです。この男は大尉の従卒でありながら、戸口で寝てしまい、勤務を怠ったのです。つまり、この男には義務があったのです。毎時、時鐘ごとに起立して、大尉の住居のドアの前で敬礼するという義務であります。大したことではありませんが、しかし、欠かしてはならない義務でありましょう。警護のかたわら、いつなんどきでも御用に応じなくてはなりませんからね。大尉は昨夜、こやつがちゃんと義務をはたしているかどうか、ためしてみようと思ったのです。そこで夜中の二時の時鐘を合図に戸をあけてみると、この男ときたら、丸くなって眠りこけているではありませんか。大尉は乗馬用の鞭で顔をひっぱたきました。するとこやつは起立して赦しを乞うどころか、大尉の足につかみかかり、《鞭をすてろ、さもないと嚙みつくぞ！》とわめきたてたそうです——ざっと、こういったわけです。一時間ばかり前に大尉が報告にきました。わたくしは記録を取るとともに直ちに判決を下しました。そしてすぐさま鎖をかけました。単純至極なことでしてね。もし召喚して訊問したりしていれば、ゴタゴタしただけでした。こやつはきっと嘘をついたでしょう。こちらがその嘘を見破って反駁すると、さらにまた新しい嘘をついたでしょう。これでは果てしがありません。しかし、わたくしはそんなことはいたしません。自分はこやつを捕えています。もう手も足も出ませんよ——おわかりになりましたか？　ぐずぐずしていられません。そろそろ死刑執行にとりかからなくてはならないというのに、まだ機械の説明が終わっていないのです」

旅行家を椅子に坐らせ、またもや機械に近よって説明をはじめた。

「ごらんのとおり、《まぐわ》の形は人間のからだに応じて作ってあります。こちらのここが上半身用、逆にこちらが下半身を受けもつのです。首から上は、この小さな刃物で十分でありましてね。いかがです、おわかりですか？」

仔細はこれからといった素振りで、にこやかに一礼した。

旅行家は額に皺をよせて《まぐわ》を見つめていた。いま耳にした判決の手続きが気に入らなかった。ともあれ、ここは流刑地であり、特別のやり方が必要であって、つまるところ軍隊方式でなされねばならないのだと自分に言いきかせた。と同時に新しい司令官に一抹の期待をかけた。頭のかたい将校にはとても受け入れられないものであれ、また、はなはだ手ぬるいやり方にせよ、ともかく新しい司令官は新しい秩序を導入しようとしているのだ。そう思って将校にたずねた。

「司令官は死刑執行に立ち会うのでしょう？」

「わかりませんね」

突然の問いにうろたえたらしく、にこやかな微笑が消えて顔がゆがんだ。

「だからこそ、のんびりしていられないのです。残念ながら説明を少々はしょらせていただかなくてはなりません。その分は明日、機械を洗浄したあとでいたしましょう――むやみに汚れるのです、それがこの機械の唯一の欠点でありましてね――本日は必要不可欠のことにのみとどめるといたしましょう――つまり、囚人を腹這いにさせたあと、《ベッド》が動きだします。すると《まぐわ》が、からだの上におりてくるのです。針の先端がほんの少しからだに触れるところで自動的にとまります。つづいてこの鋼鉄線がピンとのびて刑の執行がはじまるのです。素人には刑の程度がわかりますまい。《まぐわ》はいつも同じように動いているとしか見えませんからね。《ベッド》といっしょに揺れている囚人のからだを、針の先端が刺すのです。この《まぐわ》はガラス製ですね。刑の執行が誰にも確認できるようにとの配慮からです。ガラスに針を植えこむのに技術的な工夫がいりました。いろいろ試行錯誤のあげく、やっと成功したのであります。苦労のしがいがありました。なにしろガラスですからね、からだに記される判決が誰にでも手にとるようにわかるのです。もっと近づいて針をごらんになりませんか?」

旅行家はゆっくり腰をあげ、近づいて《まぐわ》の上に屈みこんだ。

「ごらんなさい」

と、将校が言った。

「二種類の針がちらばっておりますでしょう。長い針のとなりに短い針がある。長い針が文字を刻みこんで、短い針が水をふきかける。血を洗いながして刻み目をはっきりさせるためでしてね。血と水はこちらの細い導管をつたって流れ、こちらの大きい方に流れこんでから、最後に排水管をつたって穴に落ちるのです」

指先で流れる道すじをたどってみせた。なるたけ具体的に示すため、排水管の受け口で両手をそろえ、血まみれの汚水が流れこむ仕草をしてみせた。旅行家は顔を上げ、片手でうしろを探るようにして椅子の方にもどりかけた。そしてギクッとした。囚人も将校の声に応じたように機械のそばに近よって、鎖をもったまま、うつらうつらしている兵士を引っぱって《まぐわ》の上に屈みこんでいたのだ。将校と旅行家とが見つめているものの意味をさぐろうと、しきりに視線を投げかけるのだが、やはりわけがわからないらしく、あちらに屈んだり、こちらをのぞきこんだりしながら何度もガラスを見返している。こんな行為自体が罪を犯したことになりかねないのだ。旅行家は囚人を引きもどしてやりたかった。将校が押しとどめた。壁状に積み上げてある土に手をのばし、ひとつかみ摑《つか》みとると見張りの兵士に投げつけた。とたんに兵士が目をあけた。囚人のありさまを見てとると銃をはなして両足を踏んばり、ヤッと鎖を引きもどした。囚人はバタリと倒れた。鎖の音をひびかせてもがいている。

「立たしてやれ！」

将校が叫んだ。旅行家の注意はすっかり機械からそれたようだった。前屈みになりながら目の前の《まぐわ》には目もくれず、囚人がどうなるのか見守っていた。

「手ひどくするな！」

もう一度、将校が叫んだ。機械をまわって駆けつけると、兵士ともども腋《わき》に手をそえ、両足をバタバタさせてあがいている囚人を立ち上がらせた。

将校がもどってきたとき、旅行家は言った。

「もうよくわかりました」

「肝心な点がまだです」

将校は旅行家の腕をとって上方を差し示した。

「あの《製図屋》の中に歯車があって《まぐわ》の動きを定めるのです。判決を伝える図面しだいで歯車を取り換えるのですよ。私はまだ前司令官が作製したものを用いておりましてね。ここにもっております」

革製の書類入れから何枚かの紙を取り出した。

「残念ですが手にとって見ていただくわけにはいかないのです。これこそわたくしの宝物なのですから。どうか、おかけください。少しはなれてごらんいただくのがいいでしょう。この方がよく見えますからね」

最初の一枚をひろげた。旅行家は賛辞を呈するのにやぶさかでないつもりだったが、紙の上には迷路じみたものがあるだけだった。いくえにももつれあった線がびっしりと紙面をうめていて、白い余白をみつけだすのさえひと苦労というものだった。

「さあ、お読みください」

と、将校が言った。

「読めません」

と、旅行家が答えた。

「一目瞭然じゃありませんか」

「とても複雑ですね」

旅行家は遠慮がちに言った。

「私には判読不可能です」

「そうでしょうとも」

満足げに笑いながら将校は書類入れに紙を収めた。

「小学生用の手習い帖ではありませんからね。熟練が必要です。熟練をつんだあかつきには、あなただって読めるようになりますよ。単純な書体であってはならないのです。即座に殺すのではなく、平均十二時間はもたさなくてはなりません。ちょうどまん中の六時間目がきりでして、そのため本来の判決文をとり巻いて、たくさんの飾り文字があるのです。実際の文字は細い帯状に囚人のからだをとり巻いているのに対して、飾り文字はそのほかのからだの部分を受けもっています。いかがです、《まぐわ》、並びにこの機械そのものがいかに精巧にできているか、おわかりになったでしょう——では、実地にお目にかけましょう！」

将校は梯子をかけのぼった。歯車をまわしながら下に向かって叫んだ。

「注意してください。少しわきに下がっていてください！」

機械が動きはじめた。歯車が猛烈に軋みさえしなければ、それなりに結構な見物《みもの》というものだった。将校自身、騒々しい歯車の音にびっくりした素振りで、機械を殴りつける動作をしてみせた。そして謝るように腕をひろげた。つづいて下の部分を点検するために急いで梯子を下りてきた。この人にしかわからないことだが、どこかまだ調子が悪いらしかった。ふたたび梯子をかけのぼると《製図屋》の中に両手を突っこんだ。そのあと梯子ではまだるっこしいとでもいうように支柱づたいにとび下りると、旅行家の耳もとで騒々しい歯車に負けじと大声で話しだした。

「つまり、いまごらんになったとおりです。《まぐわ》が書きはじめる。囚人の背中に最初の文字を刻みおわると、綿つきの《ベッド》が動いて囚人を横向きにする。すると《まぐわ》が、そこにまた文字を刻む。では刻みこまれた傷口はどうなるのか。綿には特殊加工がほどこされておりましてね、ギュッとおさえつけると即座に血がとまるのです。血がとまれば、その上からさらにまた文字を刻みこめるというものでして、ほら、ここです、《まぐわ》のふちをごらんください。ギザギザがついておりますね、囚人のからだを反転させる際、これでもって傷口に張りついた綿をとり除き、穴の中へ落とすのです。だから《まぐわ》はすみやかに動きつづけるわけでして、そのようにして十二時間のあいだ、だんだん深々と抉《えぐ》りこんで文字を刻みつけるのです。はじめの六時間は、囚人は痛がってはおりますが、とにかくまだしっかりしています。それから二時間したら口のフェルトをとり去ります。そのころにはもうわめく力もないのです。ここのところ、ちょうど顔がくる位置に電気保温の容器がついておりますが、あたたかいお粥《かゆ》を入れておくのです。囚人は食べたければ舌ですくって食べることができる。誰だって例外なく食べたがりますね。わたくしの知るかぎり、囚人は食べ物に目がないものでありましてね。不肖わたくし、実にもうどっさり囚人をみてきたのです。六時間目、これが境い目でしょう、もう食べようとしなくなります。そのとき、自分は前にしゃがんで、じっくりながめることにしております。最後の一口を呑みこむことができないのです。それでも頑張って口に含んでおりますが、そのうち穴に吐き出します。いそいで首をひっこめなくてはなりません。でないと、ゲロが顔にとんできたりしますからね。六時間たつと、なんとおとなしくなることでしょう！　どんなに愚鈍な男にも悟性がにじみ出てくるときなのです。まず目のあたりにあらわれます。それから全身にひろがっていくのです。いっしょに手を握りあって《まぐわ》の下で横になっていたいような気持にさそわれたりするほどなのです。あとは別に何もおこりません。囚人は判決を読みとろうとしはじめます。口を突きだしたりしましてね、耳をすましているらしいのです。先ほどおわかりになったでしょうが、判決を目で読みとるのは容易なことではありません。だからして囚人は、からだの傷口で解読するのです。たやすいことではありませんよ。さらに六時間はかかります。それが終わると《まぐわ》が囚人をグサッと刺し貫いて、穴の中へ放りこみます。死体が血まみれの汚水と綿屑の上へ落下いたします。以上でもって裁判は終了したわけでして、自分たち、つまりわたくしは兵士ともども死体を埋めるのであります」

旅行家は上着のポケットに両手を入れ、将校の口もとに耳をおしつけたまま機械の作動ぶりを見つめていた。囚人も同じように機械をじっと見つめていたが、わけがわからないので、やや前屈みになったまま針の動きを目で追っていた。このとき将校が合図をした。見張りの兵士がうしろから囚人のシャツとズボンをナイフで切り裂いた。衣類がハラリと地面に落ちた。囚人が裸をかくそうとして地面に手をのばした。兵士は、そうはさせじと起立させた、とのついでにまだからだについていた衣類の残りも払いおとした。将校は機械をとめた。とたんにあたりが静まり返った。囚人は機械の下に寝かされた。鎖が解かれ、代わりに革ひもで固定された。その間のほんの一瞬、囚人は解放感を味わったようだった。囚人は瘦せっぽちだった。その分、《まぐわ》がもう一段下がってきた。先端の針がからだに触れたとき、囚人の全身に鳥肌が立った。兵士が右手を固定している間、囚人がなんというつもりもなく左手をのばしたので、その手が旅行家のまん前にニュッと出た。とり急ぎ説明した死刑執行が実地にどのような印象を与えるものかを読みとりたいとでもいうふうに、将校はかたわらから旅行家を凝視していた。

囚人の手首の革ひもがプツリと切れた。兵士が引っぱりすぎたせいだろう。ちぎれた切れはしを手にもってぶら下げている。顔は旅行家に向けたまま将校は兵士のそばに寄った。

「構造が複雑でありましてね。あちらがちぎれたり、こちらが折れたりするのです。だからといって、それだけで判断されては困りますよ。それに革ひも類は、すぐに取り換えができますからね。さしあたっては鎖でまにあわせておきましょう。微妙な振動が伝わらないかもしれませんが、やむをえません」

鎖で固定しながら話しつづけた。

「このところ機械の維持費が大幅に削られておりましてね。先の司令官のときには、つかい放題といっていいほど潤沢でありました。倉庫には予備の部品がどっさり用意されておりました。ここだけの話ですが、実はわたくし、ちょっと浪費しすぎたかもしれません。とはいえ、それもこれもずっと昔のことでありまして、当節はとんでもない、司令官はしきりに言いふらしているようですが、浪費だなんてめっそうもない。あれは口実にすぎないのです、機構を改めたいばかりに、あんなことを言っているのです。いまの司令官はやたらと会計にこまかいのです。革ひもを請求すると証拠としてちぎれたものを提出せよというのです。代わりの革ひもが届くのに十日もかかる始末で、しかもとんだ粗悪品ときている、すぐにまた切れるのです。その間、革ひもなしで機械を動かさなくてはならない。こちらの苦労を誰ひとりとしてわかってくれないのです」

旅行家は考えた。したり顔してよそのことに口出しをすべきでないのだ。自分はこの流刑地の住民ではないし、またこの流刑地を管轄している国の国民でもない。その地特有の処刑方法に異議をとなえたり阻止しようとすれば、《おまえはよそ者だ、口出しするな》と言われるのが関の山だ。そう言われたからといって仕方のないことである。せいぜいのところ、自分はいろいろなことを見るために旅行しているのであって、よその死刑制度を改めるためではないのだから、事情がどうもよくわからない、などと呟《つぶや》くぐらいのことだろう。とはいえ当地の一件は、はなはだもって微妙である。あきらかに自分はこの地のやり方に不満であり、その処刑の手口は非人間的である。利己心からそう言うのではない。どうしてそんなはずがあるだろう。自分は囚人を知らないし、同国人でもないし、同情をそそられてもいない。自分はこの国の高官宛の紹介状をもっており、当地にあって、ことのほか丁重な扱いを受けている。そして処刑の立ち会いに招かれた。しかしながら、もしかすると、当地の裁判制度について判断を求められてのことかもしれない。大いにありうることだ。現在の司令官は、あきらかに現状に不満であって、この将校のような旧来の人間と対立しているらしいのだ。

このとき、将校が腹立たしげにどなった。手こずったあげく、やっとフェルトの栓を口に押しこんだのに、囚人が吐いてしまったのだ。あわてて顔を前に突き出させたが、もう遅かった、ゲロがあたりにとびちった。

「ちくしょう、司令官のやつめ!」

と、またもやどなって、おもうさま真鍮の支柱をゆさぶった。

「何もかも司令官のせいだ。豚小屋みたいに汚れてしまった」

両手をわなわなとふるわせた。

「死刑執行の前日は一切なにも食べさせてはならないと、口をすっぱくして司令官に言ってきたのです。しかし、おやさしい方々は考えがちがうらしい。司令官お手つきの女たちは囚人が引かれていく前に、たらふく甘いものを食べさせたがるのです。腐りかけた魚などで生きのびてきた連中に砂糖菓子の大盤ぶるまいだ！　しかしまあ、それは大目にみるとしても、フェルトの栓の補充の一件が我慢ならないのです。三か月も前から請求しつづけているというのに梨のつぶてで、その間に百人以上が、同じやつを吸ったり噛んだりしながら死んでいったのです。同じのを頬ばるとなれば、誰だって吐き気の一つもするというものじゃありませんか」

囚人はうつ向いたままおとなしくしていた。兵士は囚人のシャツの切れはしで、せっせと機械を磨いていた。将校がにじり寄ってきた。旅行家は何か予感めいたものを感じて一歩うしろへ下がった。将校は旅行家の手をとると、わきに引きよせた。

「内密に話したいことがあるのです」

と、将校が言った。

「聞いていただけますか？」

「もちろんです」

旅行家は目をふせた。

「あなたは処刑の立ち会いにこられた。運のいいことです。しかし現在のところ、この流刑地では、いまのやり方は評判がよくないのです。自分ひとりが例外でありまして、前司令官の衣鉢《いはつ》を継いでいるのは、自分ひとりというありさまなのです。これまでの方法を守るだけで精一杯、もっと手広くやるなどは夢のまた夢というべきでしょう。先の老司令官が存命中はこうではありませんでした。流刑地のすみずみまで崇拝者がいましたよ。人を惹きつける力という点で、たしかに自分は前司令官の足もとにも及ばない。しかし、何よりも致命的なのは、こちらには権力がないという点でありましてね。だからして崇拝者がいても、自分たちの気持をおおっぴらにできないのです。前司令官を慕っている者が、まだ少なからずいるのですよ。しかし誰ひとりとして口に出さない。たとえば本日ですね、死刑執行の当日に喫茶店かどこかへいかれて、まわりの話をお聞きになるといい。耳に入るのは曖昧な意見ずくめでしょうよ。みんな先の司令官の崇拝者なのですが、新しい司令官のもとでは旗幟《きし》を鮮明にするわけにはいかないのです。こちらとしましても、いまの司令官が考えを改めないかぎり、かつての崇拝者をあてにできないのです。かかる司令官のおかげで、かつまた司令官を意のままにしている女どものおかげで——」

将校はサッと機械を指さした。

「――このような傑作が朽ちはてようとしているのです。一体全体、こんなことがあっていいものでしょうか。ほんの数日、単なる旅行者としてこの島に滞在なさるだけだとしても、とても坐視しえないのではありませんか。事態は切迫しております。裁判権に掣肘《せいちゅう》を加えようとする謀みがあるのです。司令部ではすでに何度か、秘密裡に会合がひらかれました。本日、あなたがおみえになったこと自体、意味深長なことではないでしょうか。やつらは卑怯です。自分では勇気がないものだから、あなたのようなよその方を差し向けたのです――以前とは大ちがい、なんというちがいでありましょう！　以前は処刑の前日ともなりますと、はやくも谷間《たにあい》に人があふれておりました。よろこび勇んで見物にやってきました。朝早々に司令官が女どもを引きつれてやってくる。ファンファーレが鳴りひびきましてね。準備完了を報告するころ、高官はひとり残らず――高官たるものはひとり残らず出なくてはならなかったのです――ひな壇に居並んでおりました。ほら、そこに山のように籐《とう》椅子が積んであるでしょう、栄華の名ごりというものでしてね。機械にしましてもピカピカに光っていました。処刑ごとにどんどん部品を取り換えることができたのです。見物衆が谷間にひしめいていて、みんな爪先立っていましたよ。司令官がじきじきに囚人を《まぐわ》の下に横たえる。いまでは下っぱの兵士の役目になっていますが、囚人の見張り役をわたくしが――今では裁判官であるこのわたくしが――受けもっていたのであります。やがていよいよ機械が動きだしました！　どこも軋んだりはしなかった。ある人々はもはや見ようとはせず、目を閉じて砂地に横になっていましたね。今こそ正義が行なわれていることを誰もが知っていたのです。静まり返っていました。囚人の溜息が聞こえるばかりでした。フェルトの栓のせいで、くぐもった声ではありましたが、あれほど悲愴な溜息をたてさせることは、今ではとても望めません。あのころは文字を刻みこむ針から腐蝕液をしたたらせる方法をとっておりましたからね。もうだめです、禁じられていて、残念ながら使えないのです。そんなふうにして六時間がたち、ほどのいい頃合いともなりますと、誰だってすぐ前で見たいというものでしょう！　全員に希望をかなえさせるわけにもいかないのです。司令官には深い考えがあったのでしょう。子供を最優先させるべしというのです。自分は職務柄、いつも最前列にいることができました。右と左に一人ずつ子供を抱きかかえて最前列でしゃがんでいました。誰もが心ふるわせてながめていました、苦痛に歪んでいた囚人の顔に浄化の表情があらわれてくるのです、ついに正義が達成されたのです！　やがてそれが刻々と消えていく。おお、友よ、なんという栄光の時代であったことか！」

将校は、自分がいま誰と話しているのか忘れていた。旅行家を抱きすくめ、その肩に顔をうずめた。旅行家は当惑していた。相手の肩ごしに落ち着きのない目を走らせた。兵士は機械を拭き終わり、飯盒《はんごう》のお粥を容器に移しはじめたところだった。囚人はもうすっかり回復したようで、お粥を目にすると、さっそく舌をのばしてきた。兵士が頭を突きもどす。お粥はもっとあとの行程に定まっていたからである。そのくせけしからんことながら、腹ぺこの囚人の目の前で兵士当人がきたない手でしゃくいあげて、むさぼり食っているのだった。

「お気持にすがろうなどとしたわけではないのです」

将校はすぐに我にかえった。

「わかってもらえはしないだろうということも承知しております。何はともあれ機械は健在でありまして、たとえさみしく谷底に残されているにしても、いぜんとして作動しております。そして現在もまた、とどのつまり、死体は優美な弧をえがいて穴の中へと落下するのです。たとえ何百という人々が、もはや穴のまわりにひしめいてはいないとしてもです。以前は穴のまわりに頑丈な柵をもうけていたのですがね。もうとっくに取り払われてしまいました」

旅行家は顔をそむけ、ぼんやりとあたりを見わたした。荒寥とした風景に感じ入ってのこと将校は思ったのだろう、いそいで旅行家の手をとると、まじまじと顔をつき合わせた。

「この屈辱がおわかりいただけますか？」

旅行家は黙っていた。将校も黙っていた。両脚をひろげ、両手を腰にそえて、無言のままじっと地面をみつめていた。それから相手をはげますように笑いかけた。

「昨日、司令官が処刑の立ち会いをたのみましたね。あのとき、自分はすぐそばにいたのです。声が聞こえました。わたくしは司令官の人となりを熟知していますからね、何をもくろんでいるのか、すぐにわかりました。司令官の権力は絶大なのです。だから面と向かって指図するのも簡単なことなのに、それだけの勇気がないのです。代わりに著名な外国人の批判にさらそうというのです。よく考えた手じゃありませんか。あなたはここに来られてまだ二日目だ。前司令官のことはもとより、先の司令官の考え方、やり方がどうだったかもご存じない。あなたの頭はヨーロッパの思考法にどっぷりとつかっている。一般論として死刑に反対だし、ましてやこのような機械による処刑には我慢がならない。その上、ここでは判決に一般の人間が関与していないし、処刑の機械ときたらオンボロときている。それを実地にこの目でみたとなれば（と、司令官は考えたにちがいありません）あなたは当地のやり方を不当だと考えるのではあるまいか？　不当だと考えれば、あなたはきっと（つまり、司令官が考えたであろうことを申しているまでですが）きっとそのことを黙ってはいない。なぜとなれば、あなたはこれまでに築きあげてきた自分の信念というものを信頼なさっているからです。しかしながらその一方、あなたはこれまでにいろんな国のいろんな特徴をみてこられたし、それらを尊重するすべも学んでこられた。となれば、お国に帰られてからはともかく、少なくとも当地に滞在中は、大っぴらに批判がましいことを口にはなさるまい。司令官にとっても、何もわざわざ、これみよがしな異議をとなえてもらうまでもないのです。ほんのちょっとしたことばですね、うっかり口にした一語で十分なのです。ご自分の信念から出たものである必要はない。司令官の願いどおりのことばでありさえすればいいのです。司令官は手をかえ品をかえて、あなたにたずねることでしょう。女たちがずらりとまわりに控えている、聴き耳をたてているのです。あなたは答えるでしょう、たとえば、《自分の国では、こんなやり方で裁かない》とか、《自分の国では、判決を下す前に訊問が行なわれる》とか、《自分の国では、死刑以外にもいろんな罰がある》とか、《自分の国では、拷問は中世の遺物にすぎない》とかですね。いずれもあなたにとって当然至極のことであり、またそれ自体なんてことのない意見であって、当地での現在のやり方を批判するものではないのです。だが、司令官はどのように受けとめるでしょう？　目に見えるようでしてね、司令官は椅子をうしろに押しやって立ちあがり、バルコニーへと急ぎますよ。うしろから女どもがゾロゾロとついていく——女どもは司令官の声を《雷《いかずち》の声》などとよんでいますが——その声が聞こえてくるようではありませんか。《このおかたはヨーロッパにあって広く知られた学者であり、各国の裁判制度の調査旅行の途中に当地に参られたのである。その学者の意見によれば、われわれの旧来の制度は非人間的きわまるというのである。このような権威筋の見解を前にして、もはや猶予ならない、今日かぎりでもって旧来の裁判制度は——》。あなたは出ていって抗議なさるでしょう、《非人間的きわまる》などと自分は言わなかった、そうおっしゃるでしょう。深い洞察力をそなえたあなたのことです、むしろ現在の制度こそもっとも人間的なやり方であり、人間の尊厳にふさわしい方法だと思っていらっしゃるのではありませんか。処刑機械を見て、うならずにはいられなかったのではありませんか——しかし、遅すぎるのです。バルコニーには女どもが隊伍を組んでいて、あなたを通さない。あなたは何とかしたい、大声で叫びたい。しかし女の手がのびて、あなたの口をふさぐでしょう——このようにして自分も、前司令官の傑作も、空しく滅んでいくのです」

旅行家は笑いを嚙み殺していた。はなはだ厄介だと思っていたことが、実はとてもたやすいことだとわかったからだ。笑いをこらえて遠慮がちに言った。

「買いかぶっていらっしゃいますよ。司令官は紹介状を読みました。私が裁判制度の専門家でもなんでもないことをよく知っています。私が意見を言ったところで素人の意見にすぎません。うぞうむぞうの一人であって、司令官自身の意見と比べれば、吹けばとぶようなものなのです。この流刑地では司令官は絶大な権力者だそうじゃないですか。となれば私ごときが何を言うまでもなく、遅かれ早かれ、司令官の思いどおりにことがはこぶのではありませんか」

相手は納得しただろうか？　いや、納得していなかった。将校は、はげしく首を振った。つづいてチラッと振り返った。兵士と囚人はあわてて粥をすするのをやめた。将校はそれから旅行家のまぢかに来た。しかし顔は見ないで上衣の一点に視線を落としたまま、小声で言った。

「司令官をご存じないのです。司令官にとって、また当地の誰にとってもまた、こんな言い方をして恐縮ですが、あなたは無害な人でしてね。しかし、だからこそあなたのことばが大きな力をもつのです。あなたがおひとりで処刑に立ち会われると聞いて、わたくしはこおどりしました。司令官の作戦を逆手にとってやろうと思いました。処刑の見物人は、たいていはまちがった考えをふきこまれています。だから軽蔑のまなざしで見つめたりするのです。その点、あなたはちがいます、あなたは説明をお聞きになった、機械もごらんになった、いまや実際の処刑に立ち会おうとなさっている。判断はもう決まっているでしょう。まだ少しはっきりしないことがあるとしても、実際の処刑をごらんになればおわかりいただけるにちがいない。でありますから改めてお願いしたいのですが、どうかわたくしを助けてください！」

「どうして私にそんなことができるのです？」

旅行家は相手をさえぎって言った。

「あなたを助けることなどできませんよ。私は無害な人間であると同時に無益な人間でもあるのですから」

「いや、できます」

そう言いながら将校が握りこぶしをつくったので、旅行家は不安そうな目つきをした。

「助けていただけるのです」

押しつけがましい口調だった。

「自分には一つ計画があります。きっとうまくいきます、成功しますとも。あなたはご自分のことばなど、なんの力もないと思っていらっしゃる。わたくしはそうは思わないのですが、かりにおっしゃるとおりだとしても、現在の制度を維持していくためには、無力なものであろうとなかろうと、何であれ試みてみるべきではないでしょうか？　どうか計画を聞いてください。いいですか、成功させるためにはぜひとも必要なことがあるのです。つまり本日、この流刑地で行なわれた処刑のやり方に関して、あなたに判断を差し控えていただきたいのです。問われないかぎりは、おっしゃらないでいただきたい。口になさるとしても、なるたけ簡単に、不得要領でやっていただきたい。それについて語るのは困難だし、大いに不満であって、もし率直に言えといわれたら憤激のことばを言いかねない、といったような印象を与えていただきたいのです。なにも嘘をついてくれと申しているのではないのですよ。とんでもない。ただ、なるたけそっけなく答えていただきたいと申しているのです。《ええ、処刑は見ましたよ》とか、《ええ、くわしく説明は受けました》とかですね、ただそれっきりであとは言わないでいただきたい。あなたが司令官の思惑とはちがった意味で憤懣やるかたないということが、それで十分わかります。むろん、司令官は誤解しますよ。自分の好きなように解釈するでしょう。わたくしの計画にとって、ここのところがいちばん肝心な点でありましてね。実は明日《みょうにち》、司令部において、司令官を議長とする高官会議がひらかれるのです。当然のことながら、司令官はこういった会議は華やかにやりたがりましてね。見物席があって、いつも満員札どめの状況です。わたくしは職務上、出ないわけにはいかないのですが、もういやでいやでたまらないのですね。もちろん、あなたも招かれますとも。きっと泣くようにして出席をたのんできますよ。万が一、なにか不可解な理由から招かれなかったとしたら、あなたは招待をお求めになればいい、まちがいなく招かれますよ。そんなわけで、あなたは明日、司令官の女どもといっしょに特別席にすわっておられる。司令官は何度も振りあおいで、あなたがいらっしゃることを確かめますよ。ところで高官会議ですが、まず何てことのない問題が議題にのぼりますね。聴衆の関心を引くためだけのつまらない議題でしてね――たいていは港に関してのことでして、いつも判で押したように港のことが議論されるのです！――さてそのあと、裁判制度に関して議題が移ります。もし司令官が無視したり、わざとあと廻しにするようなら、容赦しませんよ、わたくしは起立して、本日の処刑についての報告します。簡単な報告だけにとどめましょう。公開の高官会議において、この種の報告をするのは異例といえば異例ですが、やむをえません。司令官はいつもどおり、にこやかな笑みを浮かべているでしょう。報告を聞き終わると絶好の機会といわんばかりに、つい悪乗りするでしょう。《只今の報告につき、一つ追加して申しておきたい》とか何とか言いだすにちがいありません。《現在、当地に著名な学者が滞在中であることは、皆さま、ご承知でありましょうが、いま報告のあった死刑執行にお立ち会いをいただいた。本日、かたじけないことにこの会議も傍聴くださっている。ついては当地の処刑方法につき、どのような感想をおもちであるか、うかがってみるのはいかがなものか？》するとお拍手がおこりますね。《異議なし》の声があがります。このわたくしがとびきり大声で叫んでやりますよ。すると司令官はあなたに向かって一礼して、こう言うでしょう、《一同になりかわってお願いします》。どうか手すりのところまで歩み出ていただきたい。両手は誰の目にもみえるところにおいてください。さもないと女どもがそっとつかんで、くすぐったりしますからね──さあ、いよいよあなたの番です。ここに至るまでの間、どうやって緊張に耐えたらいいものやら、自分でもわかりませんよ。どうぞ腹蔵なく話してください。遠慮なく、ありのままを申し述べてください。手すりから身をのり出してどなってください。司令官に向かって思うさまぶちまけてください。いや、あなたはそうはなさらないかもしれない。こんなやり方は、あなたの好むところではありますまい。お国ではこんなとき、たぶん、そうはなさるまい。かまいません、いいですとも、立ちあがって、ふたことみことおっしゃるだけにしてください、あなたのすぐ下の役人に聞こえる程度の小声で結構です、それで十分です、処刑に対する人々の無関心や、歯車が軋ることや、革ひもがちぎれたこと、また不潔なフェルトの栓について、どれについても語っていただかなくて結構です。そんな必要はありません。それはわたくしがいたします、やりますとも、熱弁をふるってやります、司令官がいたたまれなくなって、こそこそ逃げ出すような大演説をしてみせます。あるいはひざまずかせて、あらためて前司令官への忠節を誓わせましょう——わたくしを助けていただけますね？　いや、助けないではいられない、そうなのではありませんか？」

将校は旅行家の両腕をかかえこんで、あえぎながらじっと目を据えていた。最後の言葉は叫びに近かった。兵士と囚人は意味はわからないにせよ何か感じたにちがいない、粥をすするのを中断して、ただ口だけは動かしながら旅行家を注視した。

返答は初めから決まっていた。これまで旅行家はいろいろな人生体験をつんできた。いまさら考えがゆらいだりはしないのだ。彼は本来的に誠実であり、勇気ある人間だった。兵士と囚人を目にとめたとき、ほんのひと呼吸ほど躊躇したが、つぎには当然言うべきことを口にした。

「お断わりします」

将校は何度も目をパチパチさせた。しかし、その間にも相手から目をそらさない。

「なぜお断わりするのか申しましょうか？」

将校は口をつぐんだままうなずいた。

「ここのやり方が気に入らないのです」

と、旅行家は言った。

「あなたは打ち明けて話してくださった——その信頼を悪用するつもりは毛頭ありませんが——その際、私は考えました、自分はご当地のやり方に口をさしはさむ権利があるのか、仮に口をさしはさんだとしても、それにどれほどの効力があるのか。誰に申し立てるべきか、それははっきりしていましたね、むろん、司令官です。いまのお話を聞きながら、ますます心が決まりました。といって、あなたのことばによって決心がついたというのではないのです。あなたの信念には心うたれましたが、それでもって自分の決心がゆらいだりはしないのです」

将校は黙然と立っていた。それから機械に向きなおり、真鍮の支柱をつかむと点検でもするように、少々あお向きになって《製図屋》を見あげた。兵士と囚人はすっかり親密になっていた。囚人は革ひもで固定された不自由なからだで兵士に合図をした。兵士がかがみこむと、その耳に何やらささやいた。兵士はひとつコックリとうなずいた。

旅行家は将校に近づいて、背後から声をかけた。

「これから自分がどうするかをお話ししておきます。私は自分の考えを司令官に伝えます。ただし、会議の場などではなく、司令官と二人きりのときに話すつもりです。ここに永く滞在するわけではないのです。だから会議に出たりできないでしょう。明日、発つのです。少なくとも船に乗ります」

将校は聞いているようにみえなかった。

「ここのやり方にご不満なんですね」

ひとりごとのように言うと、やんちゃな子供を前にして老人がほほえむように、そして微笑の背後に本心をそっと隠しているふうにほほえんだ。

「よかろう」

何かを求めるような、あるいは何かを訴えるような目つきで、やにわに旅行家を凝視した。

「よかろうって?」

旅行家が不安そうにたずねた。将校は問いを無視した。

「赦してやる」

土地のことばで囚人に言った。囚人はまだ、ことの次第が呑みこめないようだった。

「放免してやる」

と、将校が言った。囚人の顔にはじめて生気がよみがえった。本当だろうか？　将校の気まぐれにすぎなくて、すぐまた撤回されるのではなかろうか？　見知らない旅行者が尽力してくれたのだろうか？　いったい、どういうことだろう？　そういったことを、いっときにたずねるような顔つきだった。とはいえ、つかの間のことである。何がどうあれ、囚人は放免されたがっていた。すぐさま《まぐわ》の下で、もがき始めた。

「革ひもが切れる！」

将校が叫んだ。

「おとなしくしろ。いまほどいてやる」

兵士に合図をして、二人してとりかかった。囚人は声にならない声をあげ、いそがしく左側の将校をみたり右側の兵士をみたり、あるいはまた旅行家に視線をやったりした。

「よし、引き出せ」

将校が兵士に言った。《まぐわ》がからだのすぐ上にあるので慎重にしなくてはならなかった。待ち切れず囚人がもがいたので、背中に少し、掻き傷ができた。将校にとって、囚人はもはやどうでもいいらしく、旅行家に近づくと、例の小さな革製の書類入れをとり出してパラパラとページをくった。やがて一枚を引き出すと、相手にみせた。

「お読みください」

「読めません」

と、旅行家が答えた。

「先ほども申しましたが、私には判読できないのです」

「もっとよくごらんください」

旅行家の横にきて、並んで紙をみつめている。それでもだめだとわかると、紙に指が触れるのを恐れるように高く掲げたまま、小指で文字をなぞってみせた。旅行家は、少なくとも相手の熱意に応《こた》えたいといった仕草で懸命に目をこらしてみたが、やはり読めないのだった。

将校は今度は、文字を一つずつ区切って読んだ。つづいてもう一度、読み通した。

「《正義をなせ!》というのです」

と、将校が言った。

「さあ、もうご自分で読めるでしょう」

旅行家が屈みこんだ。将校は触れられるのを恐れて、すぐさま紙を遠ざけた。

「《正義をなせ!》とあるのです」

将校はくり返した。

「なるほど」

と、旅行家が言った。

「たぶん、そう書いてあるのでしょう」

「それで結構」

多少とも満足そうに将校が言った。そして紙をもって梯子をのぼり、慎重に《製図屋》の中に敷いた。つづいて歯車の調節にとりかかった。どうやらすっかり配置換えをしなくてはならないらしく、あれこれ苦労していた。ときおり、頭が《製図屋》の中に沈んで見えなくなった。歯車をことこまかに点検しているらしかった。

旅行家は下から将校を見つめていた。首すじが痛くなった。太陽の照り返しをまともに受けて、目がシクシクしてきた。兵士と囚人は、たがいに上機嫌だった。兵士は銃剣の先っぽで、穴の中から囚人のシャツとズボンを引きあげた。シャツはおそろしく汚れていた。囚人はバケツの中で洗って、それからシャツとズボンを身につけた。どちらもうしろで、まっ二つに裂けていたので、そろって声をたてて笑いころげた。おそらく囚人は、兵士をたのしませるのが自分の義務だとでも思ったのだろう、オンボロ服を着たまま兵士のまわりをとびまわった。兵士は地面にしゃがみこみ、膝をたたいて笑っていた。それでも将校と旅行家に気をつかって遠慮がちのようすだった。

やっと終わったようだった。ほほえみながら将校は全部を一つ一つながめわたした。これまで開いたままだった《製図屋》の蓋をしめて下に降りてきた。穴の中をのぞき、そのあと囚人をながめ、彼が衣服を取りもどしたのを満足そうに確かめた。手を洗うためにバケツのところへ行ったが、水がひどく汚れてしまっていることに気がついた。手を洗えないのが残念そうだった。仕方なく――不満ではあれ、やむをえないというふうに――しゃがみこんで両手を砂にこすりつけた。それから立ちあがると、ひとつひとつ、軍服のボタンをはずしていった。首のまわりに押しこんでいた婦人用のハンカチが落ちた。

「おまえのものだ」

ハンカチを囚人に投げてから、弁明するように旅行家に言った。

「女どものたむけの品でしてね」

大いそぎで軍服をぬぎすて、下着をとった。そのくせ今度はゆるゆると、ぬいだものをたたみはじめた。上衣の銀モールを指で何度も丁寧に撫でつけた。総《ふさ》飾りをととのえた。そののち、これまた打って変わってあわただしく、衣類を穴へ投げこんでいく。いまやからだについているものは、つり紐で腰につったサーベルだけだった。将校は剣を鞘から抜き出して二つに折った。折れた剣と、鞘と、つり紐をひとまとめにして、力いっぱい穴に投げた。穴の底で、ぶつかりあう音がした。

将校はもはや素裸だった。旅行家は唇を噛んだまま無言だった。これから何が起こるのかわかっていたが、何であれ、それをとめる権利など自分にはないのである。将校にとってはのちにも代えがたい裁判のやり方が——ことによると旅行家が、自分のはたすべき義務だと感じた介入のせいかもしれないのだが——廃止されるせとぎわにあるとすれば、いまや将校はまったく正しい行動をとっているわけであって、旅行家にしても、もし相手の立場にいたら同じ行動をとったはずだ。

兵士と囚人は、はじめは何のことだかわかっていなかった。見てもいなかった。囚人はハンカチを返してもらって有頂天になっていたが、そのうち不意に兵士にひったくられた。兵士が腰帯にはさんだハンカチを囚人が取りもどそうとする。兵士が取らせまいとする。二人はふざけ半分に争っていた。将校がまっ裸になっているのに気がついて、はじめて両名は目をみはった。囚人にはぼんやりにせよ、事態が一変したことを告げる予感めいたものがきざしたらしかった。自分に起こったことが、いまや将校に起こる。おそらく今度は最後の行程までいくだろう。あるいは、よそ者の旅行家が命令を下したのかもしれない。それはどうあれ、これは復讐にちがいない。自分は苦しまずにすんだ。その自分にとっておきの復讐が実現する。囚人の顔一面に声のない笑いがひろがった。

将校が機械にむかった。彼が誰にもまして機械にくわしいことは言うまでもなかったが、いまあらためて機械との接し方、また機械の方の反応ぶりをみるとき、感動的なものがあった。将校が手をのばしただけで《まぐわ》はいそがしく上下に動いて、ぴたりと正しい位置にからだを受け入れた。フェルトの栓が迫ってきた。将校はいやがったようにみえたが、それもほんの一瞬のことで、すぐにおとなしく口に含んだ。すべてがととのった。ただ革ひもがまだ、ぶら下がったままだった。それはあきらかに無用のものだった。将校の手足は、わざわざ固定されるまでもなかっただろう。このとき、囚人がたれ下がったままの革ひもに気づいた。囚人の意見によれば、それを結ばないでは処刑は完全ではないのである。兵士に合図して、将校の手足を固定するために両名が駆けよった。

将校はちょうど《製図屋》を作動させるクランクを押すために片足をのばしたところだった。兵士と囚人が駆けよってきたのに気がつくと、足を引いて固定されるがままになっていた。もうクランクに届かない。兵士にも囚人にも、どれがクランクだかわかりっこないのである。旅行家は、自分は一切手出しをしないことに、心を決めていた。実際、手出しの必要などないのだった。革ひもでとめられるやいなや、直ちに機械が動きだした。《ベッド》は振動して、針が皮膚の上で踊り、《まぐわ》が上下にゆれた。旅行家はしばらくの間、凝然と見つめていた。そのうち、ふと《製図屋》の歯車が軋むことを思い出して、耳をすました。だが、静かだった。ほんのかすかな軋み音も聞こえなかった。

あまり静かなので注意がそれた。旅行家は兵士と囚人を見やった。囚人の方が生きいきしていた。機械の何もかもが面白くてならないらしく、こちらで屈みこんだり、あちらで伸びあがったりしながら、のべつ人差し指を突き出して兵士にあちこちを指し示していた。見苦しいことだった。旅行家は最後までここにとどまっていようと腹をくくっていたのだが、両名のありさまには我慢ならなかった。

「帰れ」

と、旅行家は言った。兵士は従うそぶりがみえたが、囚人は命令を処罰と受けとったらしく、手をもんで、ここにいさせてほしいと懇願した。旅行家が首を振って受けつけないのをみてとると、ひざまずきさえするのだった。口で言い含めても利き目がないようだった。力ずくで追い払おうとしたときだ、《製図屋》のあたりで変な音がした。旅行家が顔を上げた。やはり歯車が軋んだのか？　そうでもなさそうだった。《製図屋》の蓋がゆっくりともち上がり、つぎには音高く全開した。歯車のギザギザの部分がのぞいて、ゆっくりともち上がり、つづいて歯車全体があらわれた。まるで何かある大きな力が《製図屋》を圧しつぶし、歯車が押し出されたようだった。歯車は廻りながら《製図屋》のはしにきて、落下し、しばらく砂に立っていたが、そのうちパタリと倒れて動かない。とみるまにすでに次の歯車があらわれていた。大きなのや小さなのが次々と数かぎりなくあらわれて、同じように次々と落下し、しばらく砂の上に立っていたかとおもうとパタリと倒れて静止するのだ。一つがあらわれるたびに、それでもって《製図屋》の中がもう空《から》になったと思うのだが、つづいて新しいのがあらわれる。やがていろんな歯車の組み合わされたのがあらわれた。一組が落下し、砂の上で廻って静止したかと思うと、また別の一組があらわれた。囚人はすっかり夢中になっていた。我を忘れ、歯車が顔を出すたびに摑みとろうとして兵士に声をかけ、手助けをたのむのだが、そのつど、あわてて手を引っこめた。別の歯車がニョキリとあらわれるからだ。歯車がまだ廻っている間は、へっぴり腰で手出しをしない。

一方、旅行家はひどく不安になっていた。機械はあきらかに壊れかけており、軋み一つしないのはまやかしだった。将校はもはやわが身の世話もできないのだから、自分が面倒をみなくてはならないような気がした。歯車の落下に気をとられていて、ほかの部分に注意を払わなかったのだが、最後の一つが《製図屋》からころがり出たのを見さだめてから《まぐわ》をのぞきこんだとき、ギョッとした。《まぐわ》はいまや文字を書かず、ただ針を突き立てているのだった。《ベッド》はもはやからだを反転させず、針が深々と刺さるように、からだをたえず上へと震えながらもち上げているのだ。旅行家はなんとかしたかった。なろうことなら機械を停止させたかった。これは将校が意図していたような拷問ではなく、単なる殺人にほかならないのだ。旅行家は手をさしのべた。このとき《まぐわ》が、いつもなら十二時間目にすることをやらかした。からだをグサリと刺し貫いたとおもうと、穴の上にせり出した。血が無数の筋を引いて流れていた。水が傷口を洗わない。水の管も故障していた。最後の機能も麻痺していた。針はからだを刺し貫いたまま、はなそうとしないのだ。血が勢いよくふき出していた。将校のからだは穴の上に浮いたまま落下しない。《まぐわ》は元の位置にもどりかけたが、まだ役目を終えていないことに気づいたように、そのまま穴の上で停止した。

「手伝うんだ！」

旅行家は兵士と囚人に声をかけ、自分でも将校の足をつかんだ。自分は足に体重をかけ、兵士と囚人が頭をもって引き下ろす。そうやって徐々に針からからだを取りはずすつもりだった。しかし、兵士も囚人も近よってこようとしないのだ。囚人はクルリと背をむけた。旅行家は駆けよって、力ずくで二人に将校の頭をもたせた。その際、心ならずも死人の顔をみてしまった。生きているときと同じ顔だった。約束されていたはずの浄化の表情など、どこにもなかった。機械にかけられた囚人のすべてが見出したものが将校には拒まれていた。死体は唇をかたく横にむすび、目をひらいていた。生きているようにみえた。視線はもの静かで信念をたたえていた。その額に太い鉄の針が深々と突き立っていた。

兵士と囚人をお伴のように従えて町外れの家並みにたどりついたとき、兵士が一つの建物を指さした。

「喫茶店です」

ある家の一階だった。天井が低く、細長い洞窟のような造りで、壁も天井も黒っぽく煤《すす》けていた。通りに面したところがあけっぱなしで、中がまる見えだった。この流刑地では司令部が置かれている館にいたるまで、建物という建物が朽ちかけており、目の前の建物も、ほかの家々と別にちがいはなさそうだったが、しかしながら、どことなく歴史的な由緒がありげで、そのかみの栄光がやどっているかのようだった。旅行家は近よった。兵士と囚人があとからついてくる。通りにせり出して並べられたテーブルには一人の客もいなかった。冷やかなカビくさい臭いが奥の部屋から流れてきた。

「先の老司令官は、ここに埋められていますよ」

と、兵士が言った。

「教会の墓地は司祭に断わられましたからね。どこに埋めるべきか、しばらく決まらなかったのですが、結局、ここに落ち着きました。むろん、将校はこんなことは言わなかったでしょう。あの人はこのことをとても恥じていましたからね。二、三度、夜中に忍びこんで、墓を掘り返そうとしたぐらいです。そのたびに見つかって追い出されました」

「墓なんて、どこにある？」

旅行家がたずねた。彼は兵士の言ったことが信じられなかったのだ。すぐさま兵士と囚人が前に駆け出して、腕をのばして指し示しながら奥の壁ぎわに案内した。そこにはいくつかテーブルがあって客がいた。たぶん、港の労働者たちだろう、ずんぐりとたくましい男どもで、顔いちめんに黒々とした短いひげをはやしていた。誰も上衣なしで下着はぼろぼろ、すかんぴんの哀れな連中だった。旅行家が近づくと、何人かが立ちあがった。壁にへばりつくようにして、じっと見つめている。

「よそ者だ」

まわりでささやきが起こった。

「墓が見たいんだとよ」

テーブルの一つを脇にずらした。たしかにその下に墓石があった。粗末な石で、テーブルの下に隠れてしまうほど背が低いのだ。小さな文字で碑文が刻まれていた。読みとるためには膝を折って屈みこまねばならなかった。

《ココニ老司令官閣下眠レリ。今ハ名ヲ秘スレドモ閣下ヲ慕イシ者タチ集《つど》イテ、ココニ墓ヲ置キ、石ヲ据エタリ。予言ニ曰《いわ》ク、幾歳月カ過ギシノチ、ワレラガ司令官閣下ハ必ズヤ甦《よみがえ》リ、当家ヨリ立ツ。忠義ノ士ヲ指揮シテ、再ビ当地ニ君臨スルナラン。信ゼヨ、時ヲ待テ！》

読み終わって立ちあがると、まわりに男たちがつっ立っていた。いっしょに墓石を読んだような顔つきで、碑文が滑稽千万であり、当然おまえもそう思うだろうというふうに薄笑いを浮かべていた。旅行家は気がつかないふりをした。まわりの連中に小銭をやって、テーブルが墓石の上にもどされるまで待っていた。それから喫茶店を出て港へ行った。

兵士と囚人は喫茶店で顔見知りと出くわして引きとめられた。しかし振りはらってとび出してきたのだろう、旅行家がボートの乗り場へとつづいている長い石段を下っていると、途中で追いついた。どうやら二人とも出発のまぎわに強引に、連れていってくれるように頼みこむつもりらしかった。旅行家が下で船頭と汽船へ渡してもらう交渉をしていると、両名が無言で石段を駆け下りてきた。大声を出して気を悪くさせてはならないと考えてのことらしかった。しかし二人が下に降り立ったとき、旅行家はすでにボートに乗っていた。ちょうど岸をはなれたばかりだった。つづいて跳び乗ることもできただろうが、旅行家が舟底から結び目のある頑丈なロープを取っておどしつけたので、二人はしぶしぶあきらめた。

# 観察

――M・Bに

# 街道の子供たち

庭の垣根のそばを荷車の通り過ぎる音がした。かすかに揺れている木の葉ごしにも、おりおり通っていくのが見えた。夏の盛りには、車軸や轅《ながえ》がなんときしむことだろう！　野良仕事を終えた人々が帰っていく。もうわけもなく笑っていた。

わたしは小さなブランコに腰かけていた。両親の家の庭の木立ちのなかでのんびりしていた。

垣根の前はまだ静まらない。やにわに子供たちが駆けて通った。麦の束を荷馬車に山と積み上げ、その上に男や女たちがすわっていた。影が花壇をすべっていく。夕方、杖をつきながらゆっくりと散歩する人がいた。腕を組んだ娘たちが来かかって、挨拶をして、わきの草むらに寄った。

やがて小鳥が矢のように飛んでいった。わたしはそれを目で追った。ひと息で舞い上がった。もはや上がっていくとは思えず、自分が落下していくようで、あわててブランコの綱を握りしめ、ものさびしさから少し揺らしはじめた。しだいに大きく揺らすと、空気がひんやりとして、飛んでいく小鳥のかわりに、ふるえるようにして星があらわれた。

ローソクの明かりで夕食をとった。何度も両腕を木の台にのせていた。もう疲れており、バターパンを嚙みしめた。うんと目の粗いレースのカーテンが、なまあたたかい風になびいていた。ときおり外を通りすぎる人が、両手でそれを押さえこむ。わたしと顔をつき合わせて話をしたいという。ときおりローソクが立ち消え、あとのもやもやとした煙のなかで、集まった蚊がなおしばらく羽音をたてていた。窓から問いかけられると、わたしは山並みを見るように、あるいは空気を見つめるようにして相手を見た。むこうだって、べつに返答を期待してのことではないのだ。

それから誰かが窓わくをこえて躍りこみ、ほかの者はもう家の前に集まっていると告げた。わたしはむろん、ため息をつきながら立ち上がった。

「どうしたの、どうしてため息をつくの？　何かあったの？　とんでもない不幸があったの？　もうとても立ち直れないの？　ほんとうにもうおしまいなの？」

ちっともそうではないのである。わたしたちは家の前に駆けつけた。「やれやれ、やっときた！」——「きみはいつも遅れてくる！」——「ぼくが？」——「そうとも、いやなら家にいろ」——「許してやるもんか！」——「なんだって？　許さない？　そんなことを言っていいの？」

わたしたちは夜を頭で突き破った。夜と昼の区別がなかった。チョッキのボタンが歯ぎしりすることもあれば、同じ間隔をとって、熱帯の猛獣のように口から火を吐いて走った。古代の戦士のように足ぶみし、躍り上がり、狭い通りを追っかけ合って、そのまま街道の坂道を走っていった。溝に踏みこむ者もいた。暗い斜面に姿を消したかとおもうと、つぎには赤の他人のように上の野道から見下ろしていた。

「下りといで！」——「そちらから上がってこい！」——「突き落とすんだ、その手にのるものか」——「弱虫め、大口たたくな、やってこい、こいったら！」——「ほんとうに、きみたちが突き落とすのか？　思い知らせてやろうか？」

われわれが攻撃した。胸を突かれ、通りの溝の草のなかに身を伏せた。おもしろがって落ちただけ。どこも同じように蒸《む》されていたが、草のなかだと暖かくも冷たくもない。ただ疲れた。

右側に転がって、手を耳の下にそえると、そのまま眠りこんでしまいたくなった。もう一度、顎を突き上げて奮い立ちたいのに、もっと深い溝に落ちてしまう。同じことなら肘を曲げ、両脚を斜めにのばし、身を投げて、もっと深い溝に落ちていこう。そうしたくてたまらない。いちばん底できちんと眠るために、思うさまのびをする。とりわけ膝をのばしてやろう。そう思うまもなく、泣きたいような気持になって、病人みたいに仰向けになった。仲間の誰かが肘を腰にそえ、黒い足の裏を見せて頭上を跳びこえ、坂道から街道にとび出したので、思わず目をパチクリさせた。

月が昇った。郵便馬車が月光のなかを通り過ぎた。弱い風が起きた。溝のなかでもそれがわかる。近くの森がざわめきはじめた。一人きりでいるのは、もういやだ。

「どこにいる?」――「出てこい!」――「全員集合!」――「なぜ隠れている、バカはやめろ!」――「郵便馬車が行ってしまったのを知らないの?」――「ウソだ! もう行ったって?」――「もちろんだ。きみが眠っているうちに行ってしまった」――「ぼくが眠ったって? 眠ったりしない!」――「黙れ、顔を見ればわかる」――「ちがうったら」――「こいよ!」

くっつき合って走った。手をとり合っているのもいた。下り坂なので、でんぐり返るほど頭をそらしていなくてはならない。一人がインディアンの雄叫びを上げた。なおのこと速足になり、跳び上がると風が上に巻き上げた。何だってもう、われわれをとどめられない。走りながら、追いこすときは腕組みをして、じろじろまわりを見つめたりもできるほどだった。速瀬にかかる橋の上で立ちどまった。走り過ぎていった者も、もどってきた。川水は、まるで夜ふけを忘れたように勢いよく石や木の根を洗っていた。どうして誰も手すりに跳び上がらないのか、言うまでもない。

茂みの向こうの遠くを汽車が走っていた。どの車輌も明かりがついていた。どの窓ガラスも引き下ろされていた。仲間の一人が流行歌を歌いはじめた。みんなで歌いたかったのだ。汽車が走るよりも、もっと早口で歌った。声だけでは足りなくて腕を振り廻した。がなり声が一つになって気持よかった。声が一つになると、釣り針で釣り上げられたみたいだ。

森を背にし、遠くの旅行者の耳へ歌って聞かせた。村では大人たちがまだ起きていた。母親たちが夜のベッドをととのえていた。

もう別れの時だ。わたしはそばの仲間にキスをし、まわりの三人に握手をして、もどり道を走りだした。誰も声をかけてこなかった。十字路にきた。もうこちらの姿が仲間の目にとどかない。そこを折れ、野道から森へ駆けこんだ。南の町をめざしていた。村ではその町について、こんなふうに言われていた。

「あそこの連中ときたら！　いいか、眠らないんだぞ！」

「どうして眠らないの？」

「疲れないからだ」

「どうして疲れないの？」

「バカだからだ」

「バカは疲れないの？」

「バカが疲れたりするもんか！」

## ペテン師の正体

やっと夜の十時ごろ、お招きを受けていた館の前へやってきた。ほんのちょっと顔見知りの男がいっしょだった。このたびはなぜかくっついてきて、二時間あまり、わたしをあちこち引きまわした。

「では、これで！」

わたしは声を上げ、別れのしるしに両手をパチリと打ち合わせた。それまでも何度か曖昧な試みをして、もううんざりしていた。

「すぐに上がって行きますか？」

と、男がたずねた。歯ぎしりのような音が洩れた。

「むろん」

招かれているのだ。そのことはとっくに言ったはずだ。招かれていればこそ上がっていく。門前に突っ立って、前の男の耳ごしにながめているいわれはない。二人並んで黙っていると、ここに根を生やそうと心を決めたようではないか。しかもまわりの家々が、すぐさまこの沈黙に加わってきた。星までとどく暗闇もそうだ。姿を見定める気持はないが、散歩者の足音も、前の袋小路へ吹きよせる風も同様だ。どこかの部屋の閉ざされた窓に向かって蓄音器が歌っていた――沈黙を通して聞こえてきた。まるで昔から、またこれからもずっと自分たちでひとり占めしているかのようだ。

そしてわたしの同伴者は自分の名においてーーひとつニヤついてからーーわたしの名において沈黙に同調した。塀づたいに右腕をのばし、目を閉じながら顔をもたせかけた。

そのニヤつきをすっかり見るまでもない。恥じらいで目をそむけた。このニヤつきによってようやく、この男がペテン師であり、それ以外の何ものでもないことに気がついた。わたしはすでに何か月もこの町にいた。この手のペテン師をくまなく知っていると思っていた。夜ともなると脇道から、宿屋の亭主のように差し招きながら出てくるのだ。わたしたちがたむろしている広告塔にぴったりと、かくれんぼをするように張りつき、丸い柱のうしろから、少なくとも片目を光らせて見張っている。こちらは辻にくると、何やら胸さわぎがするのだが、やにわに歩道のはしっこにユルリと現われる！　わたしは彼らをよく知っていた。小さな食堂で知り合った、最初の町の住人だった。彼らのおかげで、ねばり強さというものを思い知った。いまやこの世で無視できず、すでに自分のなかに感じはじめている。とっくに逃れ出て、もうペテンの種もなくなったというのに、ちゃんと向かいに立っている！　すわりもせず、倒れたりもせず、たとえはなれていても説得するような目つきで見つめてくる！　やり口はいつも同じ。なるたけ肩をそびやかして前に立つ。行かせまいとし、引きとめようとする。代わりの住居を思案し、とどのつまり、こちらの気持が鬱屈してくると、彼らはそれを抱擁と見たてて、頭から身を投げてきたものだ。

その古い手を、このたびはずいぶん長くいっしょにいて、やっと悟った。恥辱を消すため指先をそろえてこすった。

　相手の男はいぜんとして塀にもたれていた。あいもかわらずみずからをペテン師とみなし、自分の運命に大満足で、頰を赤く染めていた。

「正体見えた！」

　そう言うなり、わたしは軽く男の肩をたたいた。それから急ぎ足で階段をのぼっていった。上の控えの間では、こよなく忠実な召使たちの顔が、すてきな驚きのようにうれしかった。一人ひとり順にながめているあいだにも、マントをぬがせたり、靴をはたいたりしてくれる。ホッとして、大きく息をつき、背すじをのばして、わたしは広間へ入っていった。

## 突然の散歩

　夕方ようやく外出はやめと腹が決まった気がして、室内衣を着こみ、夕食のあと明かりの下に腰をすえ、仕事の片づけ、ちょっとした気晴らしを思案した。そのあとは、いつもどおり床につくはず。外は悪天候ときて、外出しないのはもっともなこと。もうずいぶんテーブルでおとなしくしていたのであれば、いまさら出かけるとなると、家族みんながびっくりするだろう。すでに階段の明かりも消され、建物の玄関にも鍵がかかっているころ合いだ。ところがやにわに仏頂づらで立ち上がり、室内衣をぬぎすて、外出用に着換えをすると、出かけなくてはならないと言い放ち、実際、あたふたと出ていき、あわただしくドアを閉める間にも、多かれ少なかれ怒りの眼差しを背に受けてのこと。通りで気がつくと、予期しない自由を与えられた手足が、へんに活発に応じてくる。こういった決断一つで自分のなかに、もりもりと決断力そのものが高まってくるとしよう。こんな大きな変化をやすやすとなしとげるのは、欲求というよりも力があればのこと、そのことを、あらためてはっきり思い知ったとしよう。そんな気持のまま長い通りを走るように進んでいくとき——そのとき、この夜みごとにわが身は家族からとび出しており、家族は実体を失ってモーローとしてくる。ついてはこちらは、いまやうしろ手で太股《ふともも》をたたいたりして、黒々とした輪郭そのままのまことの姿に高めるというものだ。

こんな夜ふけに、顔を見に友人を訪ねたりすれば、すべてがさらに確乎としたものになるだろう。

## 腹をくくること

惨めな状態から抜け出るには、腹さえくくれば簡単だ。勢いよくやおら椅子から立ち上がり、机を廻り、頭と首をクネクネさせ、目を光らせ、かつは目のまわりの筋肉に力をこめる。いかなる感情も抑えつけ、Ａが来るとなれば熱烈に迎え、Ｂはやさしく部屋でもてなし、Ｃの口から洩れることとは、苦痛や辛さを我慢して、ゆっくりと腹に呑みこむ。たとえそうなるとしても、手ぬかりというものがあるもので、とたんに、たやすいことも、厄介なことも、すべてがとどこおってしまい、自分ときたら、クルリと一回転して元どおりということになる。

だから、すべてをそのまま受け入れるための取っておきの策がある。自分を純重な塊として振舞い、それでも吹きとばされるような気がしたら、無用の足をうかつには踏み出さず、他人は獣の目でながめ、悔いたりしない。つまり人生のうちの亡霊じみたものは、わが手で押さえこむこと。すなわち、最後の墓場のやすらぎを後生大事にして、もうほかのものには目もくれないこと。

このような状態につきものの動作がある。小指でそっと眉毛を撫でる。

## 山へハイキング

「わからんな」

わたしは力のない声で言った。

「まるでわからない。誰も来ないとは、来る人がいないことだ。誰にひどいことをしたのでもなく、誰にひどいことをされたのでもない。しかし、誰もわたしを助けてくれない。まるで音なしだ。とはいえ、そうでもないのだろう。助けてくれる者がいないということ――それ以外は、この誰もいないということは、なかなかすてきなことなのだ。この誰もいないということをお仲間にして、いそいそと――どうしていそいそしてはいけない――ハイキングに出かけるとしよう。むろん、山がいい。ほかのどこがあるというのかね？　誰もいないということのお仲間がひしめいていて、沢山の腕が斜めにのびたり、組み合わさったり、沢山の足が、やつぎばやにつづいていないか！　全員、フロック着用は、いうまでもない。陽気にいこう。お仲間と、お仲間の手足にひらいた隙間を風が通っていく。山にいると喉がよく通るもの！　つい歌い出したくなるじゃないか」

## ひとり者の不幸

ひとり者をつづけるのは、なんともひどいらしい。人といっしょに夜を過ごしたいときは、年寄りの威厳を保ちつつ頭を下げてたのまなくてはならないし、病気になると、ベッドの隅から、ひねもすひとけのない部屋を見つめている。いつも人とは戸口で別れを告げ、階段を寄りそって上がってくれる妻はいない。部屋にある脇のドアは他人の住居に通じているだけ。夕食は手ずから家に運んでくる。よその子をながめてすごす。「子なしでしてね」などと、いつも一つ覚えをくり返しているわけにもいかない。若いころに知ったひとり者の誰か彼かを思い出して、身なりや振舞いを考える。

いずれ、そんなぐあいになるだろう。遅かれ早かれ、そんなふうになる。このからだ、この頭、この額。このおデコを手でピシャリとやるわけだ。

## 商人

気にかけてくれる人がいるかもしれないのだが、こちらにはちっともわからない。小さな商いなので、気苦労のたえるときがない。額やこめかみが内側からズキズキするほどだ。頭を痛めても満足のいく見通しが立つわけではない。なにしろ商いが小さいのだ。

何時間も先まわりして指示を出しておく。店の者はうっかりしがちだから、先んじて失敗を戒め、季節ごとにつぎの流行を考えておく。自分のまわりの人々の流行ではない。田舎のわけのわからない連中の好みってやつだ。

他人に金を握られている。他人のふところ事情なんてわかりっこないし、連中がどんな災難に見舞われるやら、予測がつかない。手を打っておくなんて、できっこない！　ことによると金づかいが荒くなっており、レストランの庭で宴をひらいているかもしれないし、アメリカへ逃げ出すところなのに、ちょっと宴にまぎれこんだといった手合いもいるだろう。

週日の夕方に店を閉めたりすると、急に時間ができるものだ。商売のためにあれこれとびまわらなくてもいい。そんなときは昼前から抑えていた興奮が上げ潮の大波のように感じられ、じっとしていられず、あてもなくあたふたする。

興奮しても対処のすべがわからず、ただ帰路につくばかりだ。顔も手もよごれ、汗まみれで、服にはシミがつき、ほこりっぽい。仕事用の帽子をかぶっているし、靴は荷箱でこすれたあとがある。波乗りするように歩きつつ、両手の指をポキポキ鳴らし、すれちがいざま子供の髪を一撫でしたりする。

すぐの道のりだ。あっというまにもどり着き、エレベーターのドアを開け、入りこむ。すると急にひとりだと気がつく。階段をのぼらなくてはならない連中は、上がるうちにくたびれてきて、せわしない息をつきながら住居のドアが開くのを待たなくてはならず、となれば不機嫌で、イラついても不思議はない。やっと控えの間に入って帽子をかけ、二、三のガラス戸を開け閉めして廊下をすすみ、自分の部屋に入ってやっとひとりになる。

わたしときたら、エレベーターですでにひとりだ。膝をかがめて細い鏡をのぞきこむ。そしてエレベーターが昇りはじめると、声をかける。

「きみたち、おとなしく、ひっこんでいろ。どこがいい？　木の陰、窓のカーテンのうしろ、庭のアーチはどうなんだ？」

声に出さず、歯を動かすだけ。すりガラスすれすれに階段の手すりがかすめ、落下する水のように下がっていく。

「きみたち、飛んでいけ。翼は見たこともないが、村の谷へと運ぶだろう。行きたければパリだってよかろう。

とはいえ、三方の通りから行列がやってくるなら、窓からの眺めは楽しむべしだ。たがいに譲らず、入り乱れ、そのうちやっとしんがり組のうしろがすいてくる。ハンカチを振るんだ。驚いたり、感動したり、車で通りすぎる美しい女をほめたたえたりするがいい。

きみたち、小川の木橋を渡っていけ。水遊びしている子供たちにうなずきかけてやるんだな。遠くの巡洋艦上の水夫たちが万歳を叫んだのにびっくりする。

見ばえのしない男のあとをつけて行け。どこかの門の中へ突き入れたら、金目のものを奪いとるんだ。それから両手をポケットに入れ、そいつがトボトボと左手の路地に入っていくのを見送っていろ。

馬に乗った警官がてんでんばらばらに駆けつけ、手綱をしぼってきみたちを追い返そうとする。させておくんだ。ひとけない通りだと、やるせないのだ。それはお見とおしだ。ホラ、もう連中はくつわを並べ、ゆっくりと角を曲がり、広場をすべるようにすすんでいく」

エレベーターが着く。空いたのが下っていく。玄関のベルを鳴らすと、女中がドアを開ける。挨拶の声をかける。

## ぼんやりと外をながめる

いまやまぢかに迫ったこの春の日々に何をしよう？　今朝、空は灰色だったが、あらためて窓辺に来て、驚きのあまり窓の把っ手に頬をくっつける。

下の通りを小さな娘が歩きながら振り返ると、その顔にいまや夕陽が射しかけていて、そこへ急ぎ足でやってきた男の影がかかる。

でも、男はもう通りすぎていて、娘の顔は明るい。

## もどり道

夕立ちのあとの空気には、説得力といったものがあるものだ！　わが数々の成果が目に浮かんできて、我ながら圧倒されてしまうほどだ。それもまた、やむをえないしだいと思う。

わたしはさっそうと歩いていく。わが足の運びは、通りのこちら側、またこの通りの、この界隈の歩調というものだ。だからしておのずと責任がある、ドアやテーブルをたたくすべての音に、すべての乾杯の挨拶に。ベッドのなか、建築中の足場のかげ、暗い通りの家の壁にくっついたのや、娼家の寝椅子の上の恋人たちに責任がある。

過去と未来を秤にかけてみても、どちらも上々のものであって、どちらがどうとは言えず、こんなに恵まれていていいものかと、むしろそのことに難癖をつけたくなるほどだ。

ただ自分の部屋に入るときは、心に少し影が走る。階段を上がっているときに、もの思いの種を見つけたというのではない。窓を思いきり開けてみても、どこかの庭から音楽がまだ聞こえていても、心の影は消えてくれない。

## 走り過ぎていく者たち

夜、狭い通りを散歩中に、遠くに見えていた男が——というのは前が坂道で、それに満月ときている——まっしぐらに走ってくるとしよう。たとえそれが弱々しげな、身なりのひどい男であっても、またそのうしろから何やらわめきながら走ってくる男がいたとしても、われわれはとどめたりしない。走り過ぎるままにさせるだろう。

なぜなら、いまは夜なのだから。前方がのぼり坂で、そこを明るい月光が照らしているのは、われわれのせいではない。それにその両名は、ふざけ半分に追いかけ合っているだけなのかもしれないし、ことによると二人して第三の男を追いかけているのかもしれず、先の男は罪もないのに追われていて、ことによると背後の男が殺したがっており、とすると、こちらが巻き添えをくいかねないのだし、もしかすると双方ともまったく相手のことを知らず、それぞれがベッドへ急いでいるだけなのかもしれないのだし、あるいは夢遊病者かもしれず、ひょっとすると先の男は凶器を持っているかもしれないのだ。

それにそもそも、われわれは綿のように疲れていないだろうか。少々ワインを飲みすぎはしなかったか。第二の男も見えなくなって、ホッと胸をなでおろす。

## 乗客

わたしは市電のデッキに立っている。この世での、この町での、わが家庭での自分の位置といったものに、まるきり自信がない。どんな意味合いであれ、どのように正当に要求していいのやら、おおよそのことですら言うことができない。いまデッキに立ち、つり革を握り、電車に身をゆだねていることも正当化できないし、また人々が電車をよけ、のんびり歩き、ショーウインドウの前に佇んでいることだって同様である——誰からも弁明を求められたりはしないが、それはまあいい。

電車が停車場に近づく。一人の娘が降りる支度をして、ステップに立っている。彼女のこととなら撫でさすったみたいに、はっきりわかっているのだ。黒い服を着ている。スカートのひだはほとんど動きを見せない。からだにぴったりのブラウスで、目のこまかい白いレースの襟つき。娘は左手を車体の壁につき、右手の傘を上から二段目のステップについている。顔は小麦色、左右からそっと押し上げたような鼻は、先っぽが丸い。栗色の髪がゆたかで、右のこめかみが少しほつれている。小さな耳がピタリとくっついたみたいだが、こちらがすぐそばに立っているので、右の耳たぶのうしろ全部と、つけ根の陰までも見てとれる。

そのときわたしは、娘が自分をあやしまず、口を閉じたまま、そのようなことはひとことも言わないなんて、どうしてだろうと、わが身に問いかけてみたものだ。

# 衣服

いろんな襞《ひだ》や、飾りや、房のついた服が、美しいからだをきれいにつつんでいるのを見かけると、つい思うのだが、長くはもつまい、しわが寄って、飾りに詰まった埃がとれなくなる。そもそも高価な一張羅を、朝ごとに着て、夜にぬぐなんて、そんな悲しくもおかしなことをする人間がいるものか。

ところがどうだ、娘たちときたら、もともときれいなところへもって、いろんな魅力ある筋肉に小さな骨、すべすべした肌、やわらかな髪をどっさりもっているというのに、ところが毎日、この生まれながらの仮装のいで立ちであらわれ、いつも同じ手に同じ顔をのせて、鏡に映している。

ときおり夜遅く、何かの催しから帰ってきて、鏡に映ったのが着古しで、ぶわついていて、埃まみれ、みんなにすっかり見られてしまったからには、もう使いものにならない気がする。

可愛い娘と出くわして、声をかけるとしよう。

「いいね、いっしょにおいでよ」

娘はものも言わず通りすぎる。つまり、言ったわけだ。

「あなた、名の知られた公爵さまかしら。肩幅のひろいアメリカ人でもない。水平に落ち着いた目と、草原の風や川の水に洗われたインディアンの体軀をもった人じゃない。どこにあるのかはべつにして、大きな湖、その湖水を渡るような旅をしたことがあるかしら。わたしのような可愛い娘が、どうしてあなたなどについていかなくてはならないの?」

「お忘れだね、きみだって通りを悠然と疾駆していく車にお乗りじゃない。お愛想を言いながら半円を描いてくっついてくる紳士方もいないようだ。コルセットで胸はきちんとおさえているけど、太股《ふともも》と腰が、その償いをしているじゃないか。襞がいっぱいついたタフタの服をお召しだが、昨年の秋も、そいつでみんなをよろこばせてくれたのじゃなかったかな——いのち取りになりかねないのに——ニコニコしたりして」

「わかったわ。ふたりとも言い分はもっともね。身にしみて思い知る前に、それぞれ、ひとりで家に帰りましょうよ」

## 持ち馬騎手のための考察

つらつら考えてみるに、競馬で一着になりたいなんて気持を起こさせるものは、何もありはしないのだ。

なるほど、オーケストラの演奏につつまれていると、国中で最高の騎手と認められた栄誉に、つい舞い上がりたくもなるが、翌朝は後悔が押し寄せる。

競争相手の妬みがすごいのだ。策謀好きで、かなりの勢力家ときている。人垣のなかでねめつけられるのはかなわない。人を押し分けて、広いところへ行けば、すぐさま前方に人影が消え、一周遅れの騎手たちが二、三いるだけで、地平線のかなたへ小さな点になって駆けていく。

友人たちの大半は、配当金を受け取りに急いでいて、はなれた窓口のところから肩ごしに

「よし」と声をかけてくるだけだ。いちばんの友達は、われわれの馬には賭けなかった。負けると腹を立てることになるからだ。ところがこちらが勝ってしまい、彼らはスッてしまったものだから、通りすぎるとき、ソッポを向いて、観覧席を見わたしたりしている。

うしろのライバルたちはまだ馬から下りず、自分たちにふりかかった不幸と、なぜか身に受けた不正を、見きわめようと懸命だ。いまあらためて走るかのようで、先ほどのはお遊び、これからが本番というばかりに鼻息が荒い。

たいていのご婦人方にとっても、優勝者は滑稽に見える。というのは得意満面なくせに、握手ぜめ、祝福ぜめにあい、やたらペコペコして、遠くの人にも会釈のしづめというものだ。いっぽうの敗者たちはキリリと口をむすび、たいていは高らかにいないないている愛馬の頸を軽くたたいている。

とどのつまりは、にわかに空が曇って雨になったりする。

## 通りの窓

ひっそり暮らしていて、それでもときおり、なにか結びつきがほしい人、一日の時刻や、天気や、仕事の事情、そのたぐいのことが変化するのに応じて、すがりつける腕といったものがほしい人——となると、通りに面した窓なしにはやっていけない。何を求めるのでもなく、ただ疲れた人間として、窓のところにいて、目を上と下、空と人の群れに向けている。何となく少し首をうしろにそらしていると、下の馬が車と騒音もろともに巻きこんで、ついには人の営みにと引きこんでいく。

## インディアン願望

インディアンだったら、すぐさま疾駆する馬にまたがり、ななめに空を切り、ふるえる大地高く、はげしくからだをふるわせ、ついには拍車を捨て、拍車など無用だからだし、手綱も投げ捨て、手綱なんぞ無用のきわみだからで、短く刈りとられた荒野もほとんど目にとまらず、もはや馬の首も頭も消え失せている。

## 樹木

つまり、われわれは雪のなかの樹木の幹のようだ。のっかっているだけ、ちょいと突けば押しのけられる。いや、そうはいかない。大地にしっかり根を生やしている。しかし、どうだ、それもそう見えるだけ。

## 不幸であること

もうたまらなくなって——十一月のある夕方のこと——そこでわたしは部屋の細長い絨毯の上を、競馬場のコースのようにして、せかせかと歩きだした。明かりのついた通りが目にとまるとギョッとしたが、すぐに向きを換え、部屋の奥のところの鏡の底に、ふとまた目標を定めて叫び声をあげた。自分の声を聞くためだけに叫んでみたわけで、返答はないが、はり上げる力をなくしもしない。応じる声のない叫びは、たとえ口をつぐんでもやまないものだ。このとき壁のなかからドアが開いた。やにわに開いた。あわただしさが必要だからで、下の舗道の馬車馬ですら、戦場でたけり立った馬さながら、喉をむき出して立ち上がったのだもの。

小さな子供の幽霊が、まだランプの灯っていない暗い廊下に現われた。床下の梁のあるあたりで、つま先だちして立ちどまった。部屋の暗さに目くらみがして、いそいで両手に顔をうずめかけたが、窓に目をやってすぐに落ち着いた。暗がりのなかに通りの明かりがもやもやと十字形の桟に這いのぼっていた。闇がやっとのことで通りの明かりを抑えこんでいる。子供の幽霊は右肘を開いたドアの前の壁についたままで、外の空気が両足の膝まわりから、さらに首や、こめかみへとかすめてのぼっていく。

わたしはちょっと目をやってから、「やあ」と声をかけた。そしてストーブの衝立にかけていた上衣を取った。裸同然で突っ立っていたくはないからだ。興奮が口から抜けていくように、しばらくあんぐりと口をあけていた。苦いつばがたまり、顔のうち捷毛がピクピクふるえていた。つまるところ、まさに予期していた訪問ではないか。

子供はなおも壁ぎわの同じところに立っていた。右手を壁に押しつけ、頬はまっ赤で、ザラついた白い漆喰なのに、まだ足りないとばかり指先でひっかいている。わたしは声をかけた。

「ほんとうにここに来たかったの？　まちがってやしない？　建物がこんなに大きいと、ついまちがうものだ。わたしは何某といって、この四階に住んでいる者だが、たしかにここがお目当てだったの？」

「お静かに、お静かに！」

と、子供は肩ごしに言った。

「まちがっちゃいませんとも」

「ならば、もっと部屋の中にお入りよ。ドアを閉めたい」

「ドアなら、ぼくがいま閉めた。お手間はかけない。お静かにしてもらおう」

「お手間だなんて。廊下のならびにいろんな人が住んでいる。むろん、みんなおなじみだ。たいていの人がもうすぐ仕事からもどってくる。部屋で話し声がすると、遠慮会釈なしにドアを開けて、何ごとかたしかめようとするんだ。つまりがそうなんだ、毎日の仕事をすませてきた。つかのまの夜のひとときだもの、誰に遠慮するものか！　きみだってそれくらいはわかるだろう。だからドアを閉めさせてよ」

「何だっていうの？　どういうつもりなの？　誰が入ってこようと、かまうものか。それにもういちど言うけど、ドアはもう閉めた。自分しか閉められないと思っているの？　鍵だって掛けといたんだ」

「ならば結構、これ以上は言わない。鍵まで掛けることはなかったがね。もう入ってきたんだから、気楽にするといい。お客さまだ。まかせてもらおう。安心してくつろぐといい。ずっといろとも出ていけとも、無理強いはしない。こんなことまで言わなくちゃあならないの？　このわたしがわかっていないのだな？」

「そんなこと、言わなきゃあよかった。まるきり言うまでもないことだもの。ぼくは子供だしね。どうしてあれこれしたがるの？」

「そうひどくはなかろうさ。たしかに子供だな。でも、そんなにチビじゃない。もうとっくに一丁前とも言える。もし女の子なら、わたしといっしょに部屋に閉じこもるのは考えものだ」

「そんな心配はいらない。言いたかっただけでね、ぼくがあなたをよく知っていても、それは大して役に立たない、ただあなたが無理をしてウソをつかなくてすむぐらいのことだ、とね。それなのに、あなたはいろいろとおべんちゃらを言う。やめてください。それはやめてもらおう。それに、あなたをとことん知っているわけじゃない。この暗さでは、むつかしいです。明かりをつけたほうが、よくないのかな。いや、やはりやめとこう。いずれにしても、あなたがぼくを脅したことはたしかです」

「なんだって？　きみを脅した？　どういたしまして。やっと来てくれたのを、よろこんでいるほどだ。〝やっと〟だね。だってこんな時刻だ、どうしてこんなに遅くやってきたのか、わけがわからない。こちらがよろこびのあまり無茶苦茶を言って、きみがそれを脅しのようにとったかもしれない。話し方に問題があったのは、率直に認めよう。おっしゃるとおり、脅しました。――とはいえ喧嘩は願い下げだ！――それにしても、どうしてそんなふうに思うの？　どうしてこちらの気を悪くしたがるの？　ここにしばらくいるだけなのに、どうして何が何でもダメにしたがるの？　よその人は、きみよりも友好的だよ」

「そうだろうね。だけど、わざわざ言うほどのことじゃない。赤の他人があなたに親切にする。それぐらいのことしかできなくてね。ぼくは生まれつき、なれなれしくなれない。そんなことは知っているくせに、どうして辛そうにするの？　ふざけたいのなら言ってもらおう。すぐに出ていく」

「そうなの？　そんなことまで言うの？　そうとうだな。言っとくが、きみはわたしの部屋にいる。指をむやみに壁にこすりつけているが、わたしの部屋なんだし、わたしの壁なんだ！　それにきみの言うことは滑稽だ、厚かましいだけじゃない。生まれつきのことで、本性がそんなぐあいにしゃべらせるって言うんだね。ほんとうか？　本性のせいだって？　ありがたき本性さまだ。きみの本性はわたしの本性だ。わたしが本性からきみに友好的なのであれば、きみだってそうするがいいじゃないか」

「これで友好的なの？」

「さっきのことを言っているんだ」

「いずれぼくがどうなるか、知っているの？」

「知らない」

それからわたしはテーブルに寄って、ローソクを灯した。そのころ、わたしの部屋にはガスも電気もなかった。それからしばらく、テーブルのそばにすわっていた。やがて飽きたので、オーバーを着て、ソファーの帽子をとり、ローソクを吹き消した。出かける際、椅子の脚にけつまずいた。

階段のところで同じ四階の住人と出くわした。

「風来坊め、いまごろお出かけか?」

二段またいで足をとめたまま彼が言った。

「どうしようがある?」

と、わたしは答えた。

「いま部屋に幽霊がいるんだ」

「スープに髪の毛を見つけたみたいな、不快そうな言いぶりじゃないか」

「軽口をたたいているけど、わかるかな、幽霊は幽霊なんだぜ」

「ごもっともだ。しかし、そもそも幽霊なんか信じなければどうなんだ?」

「幽霊を信じていると思っているね? 信じないからって、それでどうなる?」

「はっきりしている。たとえ幽霊がお出ましになっても、不安がらずにいられる」

「そんな不安は二の次のことだ。幽霊が現われる原因を恐がるのが、ほんとうの不安というもので、この不安はあるね、自分のなかにどっさり持っている」

神経質になって、わたしはポケット全部を点検しはじめた。

「幽霊そのものは恐くないのなら、現われる原因を幽霊にたずねたってよかったのに!」

「まだいちども幽霊と話したことがないんだろう。幽霊からはっきりしたことを聞き出すなんて、できやしない。とりとめがないいんだ。幽霊自身がわれわれ以上に、自分の存在が疑わしくてならないらしい。あのはかなさからして不思議はないがね」

「幽霊を飼いならすことができるって聞いた」

「いいことを知っているね。そのとおりだ。でも、誰がやってみたりするだろう?」

「どうしてしない? たとえばの話が、女の幽霊だ」

そう言うなり、彼は上の段に跳びあがった。

「なるほど」

と、わたしは言った。

「たとえそうだとしても、どんなもんかな」

わたしは考えこんだ。相手はずっと上にあがっていて、こちらを見下すためには、階段の手すりから身を乗り出さなくてはならない。

「それにしてもだ」

わたしは大声で言った。

「上の幽霊をかっさらったら絶交する、これっきりだ」

「冗談だよ、冗談」

と、彼は言うなり、首を引っこめた。

「それならいい」

と、わたしは答えた。いまや安心して散歩に行けるというものだ。しかし、とても切ない気持がしたので、部屋にもどり、床についた。

# 火夫　一つの断片

女中に誘惑され、その女中に子供ができてしまった。そこで十六歳のカール・ロスマンは貧しい両親の手でアメリカへやられた。速度を落としてニューヨーク港に入っていく船の甲板に立ち、おりから急に輝きはじめた陽光をあびながら、彼はじっと自由の女神像を見つめていた。剣をもった女神が、やおら腕を胸もとにかざしたような気がした。像のまわりに爽やかな風が吹いていていた。

「ずいぶん大きいんだな」

誰にいうともなくつぶやいた。荷物をもった人々がわくように現われ、長い列をつくってそばを通っていく。しだいに船べりの方へ押しやられた。

「もっと乗っていたいのか」

航海中に顔なじみになった青年が、通りすがりに声をかけてきた。

「支度はできていますとも」

カールは笑いながら半ばおどけて、それに力がありあまっているせいもあって、トランクを肩にかついでみせた。青年はステッキを打ちふり、まわりの連中と話しながら歩いていく。カールはふと、下の船室に傘を忘れてきたことに気がついた。あわてて青年を追いかけて、迷惑顔の相手にトランクの番をたのみこみ、もどってくるときの心覚えに急いで左右を見まわしてから、小走りに船室へと降りていった。だが下にきてみると、船客をひとりのこらず下船させるための必要からだろうが、手近な通路が閉ざされていた。やむなく、いくつもの小さな船室や、つぎつぎ現われる小階段や、たえず脇へとそれていく廊下や、書き物机がポツンと放置されている空き部屋を巡り歩かなくてはならなかった。そんなところはこれまで一度か二度、それも何人かといっしょのときに通ったことがあるだけだったので、やがて自分がどこにいるのか、まるで見当がつかなくなった。カールは途方にくれて立ちどまった。頭上では、切れ目なく長い列をつくって歩いていく人々の足音がするというのに、下にはひとっこひとりいないのである。停止した機関の最後のうめきを思わせる吐息のようなものを耳にしたとたん、彼はおもわず手近のドアをめったやたらにたたきはじめた。

「あいている」

中から声がした。カールはほっとしてドアを押した。

「なぜそう、むやみにたたくのだ」

大柄な男が、ほとんど顔も上げずに声をかけてきた。どこかに天窓でもあるらしく、上方から洩れてくる弱い明かりが差し落ちていた。みすぼらしい船室で、ベッドと戸棚と椅子が一つずつ、それに当の男が窮屈そうに居並んでいた。

「迷ってしまったのです」

カール・ロスマンは言った。

「航海中は、こんなに大きな船だとは夢にも思いませんでした」

「そうとも」

少し得意そうに男が言った。両手でなんども小型トランクを押さえつけて、鍵がかかるのをためしている。

「そんなところに突っ立ってないで、とにかくなかへ入んな」

「お邪魔じゃないんですか」

「全然」

「ドイツのかたですね」

カールは確かめたかった。アメリカにくる新参者を悪いやつらが待ち受けている、とくにアイルランド人はたちが悪いといったことを、なんども聞かされてきた。

「そうとも、ドイツ人だ」

と、男は言った。カールはまだためらっていた。男はやにわにドアの取っ手をつかむと、カールを船室に引きこむようにして勢いよくドアを閉めた。

「通路からのぞかれるのがいやなんだ」

またもやトランクをいじりながら男が言った。

「通りすがりにちょいとのぞきこむ。いらいらするぜ。我慢ならない」

「でも通路には誰もいませんよ」

ベッドの足もとは身動きもままならない。窮屈そうに立ったままカールが言った。

「いまはいない」

と、男は答えた。

(いまが問題なのに)

と、カールは思った。

(この人、気むずかしい人かもしれない)

「ベッドに上がって足をのばすといい。そのほうが楽だ」

カールはいそいそと這いのぼった。その際、ベッドに跳びのりそこねた乗船最初の日のことを思い出して、声をたてて笑った。ベッドに上がったとたん、大声で言った。

「あっ、しまった、トランクを忘れていた！」

「どこに置いてきた」

「上のデッキです。顔みしりの人に番をたのんできたのです。なんて名前の人だったかな」

母親が出発の前、服の裏に縫いつけてくれた秘密のポケットから名刺をとり出した。

「ブッターバウム、フランツ・ブッターバウムという人です」

「そのトランクは、ぜひともいるのか？」

「もちろんです」

「そうだとしたら、どうして他人に預けたりしたのだ？」

「傘を忘れたことに気がついたんです。取りに下りるのに、荷物を引きずっていきたくなかったものですから。下におりてきて迷ってしまったのです」

「ひとり旅かね、誰といっしょでもないのだな」

「ええ、ひとりです」

（いい友人がみつかるまで、この人をたよりにするのはどうだろう）

そんな思いが頭をかすめた。

「傘はむろんのこと、トランクもなくしたというわけか」

いまようやく興味がわいたとでもいうように、男は椅子に腰を下ろした。

「なくしたとは決まっていませんよ」

「信じる者は幸いなるかな、というからな」

男は短く刈りこんだ濃い黒髪をごしごし掻いている。

「船の作法ってやつは港ごとに変わるもんだ。きみのブッターバウム君とやらは、ハンブルクではちゃんと見張りをしてくれた。しかし、ここではとっくに、トランクもろとも姿を消しているだろうぜ」

「すぐに見てこなくちゃあ」

カールは腰を上げかけた。

「じっとしてな」

男は片手でカールの胸もとをドンと突いて、ベッドに押しもどした。

「どうしてですか」

「無駄だからだ」

と、男は言った。

「もう少ししたらおれも行く。いっしょに行こう。トランクが盗まれていたら、いまさらあわてってもはじまらない。その男がうっちゃっといていったのなら、船はもうすぐ空っぽになるんだから、あとのほうが見つけやすい。傘だってそうだ」

カールは疑わしそうに相手を見た。人がいなくなったほうが荷物は見つけやすいとは、もっともな意見ながら、そのままうのみにはできないと思った。

「船にくわしいんですか」

「火夫だもの」

と、男は言った。

「そうなんですか！」

カールはうれしそうに声をあげ、両肘をついて、まじまじと相手を見た。

「ぼくはスロヴァキアの人と相部屋でした。船室にのぞき穴がありましてね、そこから機関室が見えたんです」

「おれはそこで働いていたんだ」

カールは聞いていなかった。

「小さいときから、ぼくは機械いじりが大好きでした。アメリカにくるなんてことにさえならなければ、いずれきっと技術者になっていたと思います」

「どうしてアメリカにくることになったのだ?」

「ばかげたことがありましてね!」

カールは事のなりゆき一切を追い払うかのように手を振った。そして話すのは勘弁してほしいとでもいうふうにほほえんだ。

「誰にも事情ってものがあらあな」

その事情を話せというのか、それとも聞きたくもないというのか、どちらともとれる口ぶりだった。

「船のかま焚《た》きになってもいいんです」

と、カールが言った。

「何になろうと、父も母も、もう何も言わないでしょうから」

「一つ空きができる。おれがやめるからな」

それを身振りで示すかのように、火夫は両手をポケットにつっこむと、やおら両足をベッドにのせた。革製らしい、しわだらけの黒っぽいズボンをはいている。カールは壁ぎわに小さくなった。

「船を降りるんですか？」

「そうとも、今日にも降りてやる」

「どうしてですか、この船が気に入らないのですか？」

「世の中のものごとってのは、気に入るとか気に入らないとか、ただそれだけで決まるわけではないんだな」

と、男が言った。

「しかし、まあ、言われてみれば気に入らないせいかもしれない。いま、船のかま焚きになってもいいと言ったが、じっくり考えてのことではないだろう。もっとも、世の中のものごとってのは、えてしてそんなぐあいに決まってしまったりするもんだがね。しかし、おれはすすめないな。もともと勉強したかったわけだろう。どうしてアメリカで勉強しないのだ。アメリカの大学はヨーロッパの大学よりも段ちがいにいいんだぞ」

「とても無理です」

と、カールは言った。

「勉強できるお金なんか持ってないんです。たしか以前、何かで読んだことがあります、昼間は店で働いて、夜に勉強して偉い人になった人がいるそうです。どこかの市長になった人だと思います。でも、それはとても辛抱がいることでしょう。そうではありませんか。ぼくには、とても辛抱しきれないと思うんです。それにぼくはあまり勉強が得意じゃないんです。学校にいかなくてもよくなって、うれしかったほどなんです。アメリカの学校はとても厳しいそうですね。英語だって片ことしかできませんし、アメリカ人はよそ者に冷たいと聞いています」

「よく知ってるな、そのとおりだ」

と、火夫が言った。

「じゃあ、教えてやるが、この船はドイツ人用の船なんだぜ。ハンブルクとアメリカを往き来している。だのにどうしてドイツ人でないやつを雇っているんだ。機関長はルーマニア人で、シューバルって野郎だ。ひどい話じゃないか、ルーマニア野郎がドイツ人用の船にいて、ドイツ人をこき使っているんだ」

火夫は息まいた。

「おれが陰口をたたいているなどと思うなよ。おまえさんに言ってみてもしょうがないや、行きどころのないチンピラなんだからな。それにしても、ひどい話じゃないか！」

拳をつくってなんどもテーブルを叩いた。その手をじっと見つめている。

「おれはこれまで、いろんな船に乗ってきたんだ」

二十ほどもの船の名前をまくしたてた。カールはぼんやりしてしまった。

「どこでも腕がいいので評判だった。表彰された。船長のお気に入りよ。たのまれて何年も同じ商船に乗っていたこともある」

自分の人生の絶頂を示すかのように、すっくと立ち上がった。

「ところがこのオンボロ船はどうだ、何もかも規則ずくめで、気の利いた人間は御無用ときた。おれはこんな船とは性が合わない。向こうさんもそうらしい。おれってやつはいつも機関長にたてつくぐうたら野郎だそうだ。放り出されて当たり前、給金がいただけるのもお慈悲からだそうだ。いったい、どこの誰にこんなことが我慢できる。おれにはとてもできない」

「我慢すべきじゃないんです」

カールはいきり立った。自分がいま見知らない国の岸辺にいて、ひとりおぼつかなく船に乗っていることを、ほとんど忘れかけていた。それほど火夫のベッドはここちよかった。

「船長に会ったのですか。船長に会って自分の権利を主張したのですか?」

「ちぇ、どこへなといっちまえ。話をろくすっぽ聞きもしないで忠告をしようってのか。どうやって船長に会えってんだ！」

火夫はぐったり腰を下ろすと、両手で顔を覆った。

（ほかにどう言えるわけでもない）

と、カールは思った。そして、せっかく何か言っても鼻であしらわれるくらいなら、トランクを探しにいったほうがよさそうな気がした。父は別れぎわに冗談めかして言ったものだ。

「いつまで、おまえの手もとにあるかな」

冗談ではなくなったのだ。大事なトランクを、本当になくしてしまったらしいのだ。ただ父はどうあがいても、このことを知ったりはできない。それがカールにとって唯一の慰めだった。船会社に問い合わしても、たしかにニューヨークまで運びましたと言われるのがせいぜいだろう。それにしても中身が手つかずのままなのがくやしかった。さっさと下着を取り換えておけばよかった。つまらない倹約をしたわけだ。いまこそまさにそのときであって、きちんと身づくろいして出ていこうというときに、汚れた下着のままでいなくてはならない。もっとも、この点を除けば、トランクをなくしたこともさほど苦にならなかった。いま身につけている服にしても、トランクに収まっているやつよりはずっと上等である。トランクの中のものは予備の服であって、出発のまぎわまで母がつくろっていた。カールはつづいて、ヴェローナ・サラミがまるまる一本残っていたのを思い出した。母がわざわざ包みこんでくれたものだ。航海中に食欲がなくなって、三等船客に出されるスープがようよう喉をこす状態のとき、ほんの少し食べただけだ。あのサラミがいま手もとにあるといいのに、とカールは思った。あれがあれば火夫に進呈できる。彼のようなたちの人間は、ちょっとしたものをもらうと、じつに簡単にうちとけてくるものなのだ。カールは父のやり方から知っていた。父はいつも仕事でかかわり合う連中を、葉巻で手なずけていた。いまのカールには、何か渡すとなると金しかなかった。しかしトランクをなくしたのであれば、さしあたり金には手をつけたくなかった。またしてもトランクのことが頭に浮かんできた。航海中は夜中にも用心を怠らず、あれほど注意してきたというのに、さてこれからというときにあたって、こんなにたわいなく人手にゆだねてしまうとは、我ながらわけがわからない。二つ先のベッドにいたスロヴァキア人にトランクを盗まれそうな気がして、この五日間というもの、夜っぴて見張っていた。そのスロヴァキア人は、カールがつい我慢ならず、うとうとしだすのを待ちかまえていた。扱い慣れた長い棒でトランクを引きよせるつもりでいたのだ。昼間はなんてこともないが、夜になるとベッドに起き上がり、いとおしげな目つきでこちらのトランクを見つめていた。それをカールは知っていた。移住する人間はなんとも不安なもので、船の規則では禁止されているのに小さな明かりをともしていたがる。その明かりで移住者代理店発行のパンフレットを、読めもしないくせにながめていたりするのである。明かりが近くにあると少しはまどろむことができたが、明かりが遠くだったり、あるいはあたりがまっ暗なときは眠るわけにはいかないのだ。あんなに苦労したというのに、まったくの無駄骨を折ったわけだ。あのブッターバウムめ、どこかで出くわさないものだろうか。

このとき、これまでの死んだような静けさを破って、どこか遠くで子供の足音に似た小刻みな音がしはじめた。それはしだいに高まりながら近づいてくる。まもなく威風堂々とした男たちの行進に変化した。狭い通路では当然のことながら、縦一列ですすんでいるらしく、武器が触れ合うような音がした。カールはトランクのこともスロヴァキア人のこともみんな忘れて、ベッドでこのままのんびりと寝そべっていたかったが、列の先頭がドアの前にさしかかったらしいので火夫をつついた。

「船の楽隊だ」

と、火夫は答えた。

「デッキで演奏をすませてきた。これから荷造りにとりかかるんだ。おれたちは準備完了、さあ、行こうぜ」

カールの手をとった。出がけに額入りの聖母像をベッドの上の壁から外して、胸のポケットに入れた。トランクをもちあげ、カールといっしょに急ぎ足で船室を出た。

「事務室のお歴々に言いたいことを言ってやる。もう客がいないんだから誰に気をつかうまでもない」

なんどか言いまわしを換えながら同じ意味のことを言った。歩きながら、通路に走り出たネズミを蹴り上げようとしたが、ネズミは一瞬早く穴に逃げこんだ。いったいに火夫は動作がのろいのだった。長い脚を重そうにひきずっていく。

調理場を通りかかった。何人もの若い女が汚れたエプロンをつけ、汚水をわざとひっかけるようにして大きな桶で食器を洗っていた。火夫はリーネという娘に声をかけ、彼女の腰に手をまわして、のそのそあたりを歩きまわった。娘はしなをつくりながら、ぺったり男に抱きついている。

「給金が出るんだ。いっしょにこないか」

と、火夫が言った。

「どうしていかなくちゃあならないの。こっちにもっておいでよ」

娘は男の腕をすり抜けて、その場をはなれた。

「どこでそんな可愛い男の子をひっかけたんだい」

リーネは走り去った。女たちが仕事の手をやすめてどっと笑った。

二人はなおも歩いていった。上が切妻形になっていて、金メッキの小さな女人像の飾ってあるドアの前に来た。船の飾りにしては手がこんでいる、とカールは思った。そして、ここにはまだ一度もきたことがないことに気がついた。航海中は一等と二等の船客しか立ち入れないのだろう。大掃除をするので仕切りが取り払われたらしいのだ。そういえば何人もの男が箒を肩にうろうろしており、火夫を見て口ぐちに挨拶をした。カールはあたりのにぎにぎしさに驚いた。彼がいた三等船室とは大ちがいで、廊下には何本もの電線が走っており、どこからか、たえずかすかな鐘の音がながれてきた。

火夫がうやうやしくドアを叩いた。「どうぞ」の声を聞くとカールを振り返り、怖がらずについてこい、といった仕草をした。カールは入るには入ったが、ドアのところに突っ立っていた。その船室には窓が三つあって、海の波がよく見えた。楽しげな波の動きをながめていると、この五日間というもの、たえず海を眺めてきたことも忘れ、あらためて胸が躍った。大きな船が往き来しており、通過するたびに重量相当の水のうねりを送りつけてくる。目を細めてながめると、船が自分の重さのせいで揺れているようにも見える。マストには細長い旗が吹き流しになってはためいていた。艦隊が発したらしい大砲がとどろいた。すぐ近くを軍艦が一隻、いかめしい砲身をきらめかせながら粛々と、しかし少し傾きをみせ海水と戯れるようにして通りすぎた。ドアのところからだと、小さな船は遠くのものしか見えないのだった。大きな船の間に、いくつも小舟が群がっていた。すべての背後にニューヨークがあった。そそり立つ高層ビルの無数の窓を通して、街がじっとこちらを見つめていた。まったく、ここにいれば、自分がどこにいるか片ときも忘れない。

円いテーブルのまわりに三人の男がいた。一人は船の士官で青い水兵服を着ていた。あとの二人は港湾局の役人らしく、黒いアメリカの制服を着ている。テーブルには書類が山のように積みかさねてあった。まず士官がペンを手に、そそくさと目を通して次にわたす。二人の役人のうちの一方が、しきりに歯を鳴らすようにして口述する。口述が終わると書類を読んだり、書き写したり、カバンにしまいこんだりした。

戸口に背中を向けて、窓のそばの机に小柄な男がすわっていた。目の上のどっしりとした戸棚から、とっかえひっかえ大きな帳簿を取り出しては開いている。かたわらに金庫があった。扉が開いていて、外から見えるかぎり中は空だった。

隣の窓のところは何もなくて外がよく見えた。三つ目の窓のそばに男が二人いて低い声で話していた。一人は窓によりかかり、船員服の腰につるしたサーベルの柄をいじくっている。もう一人は窓の方を向いて立っていた。おりおり身動きするたびに胸もとの勲章がチラリと見えた。こちらは私服で細い竹のステッキをもっていた。両手を腰にそえているので、ステッキが刀のように突き出ていた。

のんびり眺めていたわけではないのだ。給仕がつかつかとやってきた。厳しい目つきで火夫を見つめながら小声で用向きをたずねた。火夫が同じく小声で会計主任に話があると言うと、給仕は手まねで拒絶した。しかし、円いテーブルを大まわりに迂回して帳簿をもった男のもとへいった。はっきりと見てとれたのだが、その男は給仕の報告を聞くとギクリとした。それでもとにかくといったふうに振り向くと、火夫に向かって拒否の手つきをした。念のため給仕にも同じ手つきをした。給仕は火夫のところにやってきて、内緒話をするようにささやいた。

「早いとこ出てくんだ!」

火夫はカールを見やった。切々と苦しみを訴える恋人のような目つきだった。カールはやにわに士官の椅子をかすめるようにして船室を走った。給仕が虫を追いまわすときのように背中をまるめてせまってくる。カールは一瞬早く会計主任のところへくると、目の前の机にしがみついた。給仕に引きはがされてはならないのだ。

むろん、部屋中がいろめきたった。士官はすっくと立ちあがった。港湾局の役人は落ち着きはらって、しかし興味ありげに視線をやった。窓辺の二人は並んで前へ踏みだした。給仕は自分がこの場の注意を喚起したのを見てとると、役目は終わったといったふうに引き下がった。戸口の火夫は出番を思案して身がまえている。このときようやく会計主任が肘掛椅子をクルリと右に回転させた。

秘密のポケットが見られてしまうのにも委細かまわず、カールはパスポートを取り出すと、自己紹介するように目の前の机に置いた。会計主任は、その必要を認めないとでもいいたげに二本指でつまんで脇へどけた。カールはすぐさま、首尾よく手続きを終えたというふうにポケットにしまいこんだ。

「失礼ですが言わせてください」

カールは口をきった。

「ぼくの考えでは、この火夫のかたにひどい仕打ちがされています。シューバルとかいう人です、その人が悪いんです。これまでこの人はいろんな船に乗り組んできました。なんなら名前をあげてもいいんです。どこでも一生懸命はたらいてきました。仕事が好きなんです。だのにどうしてこの船にかぎって、うまくいかないなんてことがあるのでしょう。商船などとくらべて、この船の仕事はとても楽なんです。うまくいかないのは悪いやつがいて、根も葉もないことを言いふらしているからにちがいありません。そんなふうにして昇進の邪魔をするんです。力を認めさせたくないのです。そうでもしないと自分の地位が危いからです。以上、ぼくは一般的に申しました。くわしくは本人から直接聞いてください」

誰に向けてというのでもなく船室の全員を考えてしゃべった。なかに一人ぐらい正義の人がいるかもしれず、会計主任をあてにするよりも効率がいいような気がしたからだ。火夫とは、つい先ほど知り合ったばかりだということについては、抜け目なく黙っていた。竹のステッキをもった男の赤ら顔が気にならなければ、もっと上手に話せたはずだ。カールの位置だと、すぐ目の前にその顔があったのである。

「いま申し述べたとおりです」

訊かれもしないのに火夫が言った。一同の目がまだ注がれてもいないのだ。胸もとに勲章をつけた男が聞こうというそぶりをしてくれていなければ、大失態となっていたはずである。船長にちがいない。その男はさっと片手を差しのべ、こう言った。

「こちらに来たまえ！」

ハンマーでも打ち下ろすような声だった。いまやすべてが、こちらの出かたひとつにかかっている、とカールは思った。火夫のほうが正しいことに疑問の余地はないのである。

この際、火夫が世慣れた男であったのが幸いだった。彼は小型のトランクから悠々と書類の束と手帳とを取りだした。そして、こうするのが当然至極とでもいうように、会計主任を無視して船長のそばへいくと、窓辺の台に書類を広げた。やむなく会計主任は腰を上げてすり寄った。

「不平を鳴らしてばかりいる男です」

横から会計主任が言った。

「機関室よりも経理室に入りびたりの男なんです。シューバルを手こずらしておりましてね。人の好いシューバルをいじめていたのです。おい、そうだろう」

火夫の方に向きなおった。

「どこまで厚かましいやつなんだ。あれほど経理室から追い出したというのに、まだ懲りないのか。追い出されて当然じゃないか。あんな不当な要求を誰がのめるものか。経理室から追っぱらわれると、あきもせず会計本部に押しかけてくる！　口をすっぱくして言っただろう、シューバルはおまえの上司なんだ、部下のおまえが頭を下げなくてどうする！　船長さんのところまで押しかけてくるなんて、あきれたやつだ、しかも見たこともない小僧をつれてきて、教えこんだそっくりそのままをペラペラしゃべらせるとはな。いちども見たことがないぞ。いったい、この洟《はな》たらしはどこのどいつだ？」

カールはとびかかりたいのを必死にこらえた。船長が口をはさんだ。

「とにかく話を聞こう。このところシューバルは少しやりすぎのような気がする。といっておまえの肩をもっているわけではないんだぞ」

火夫に向かって言った。肩入れなどできないことは当然だったが、いい兆候だとカールは思った。火夫が説明をはじめた。感情に流されず、シューバルのこともきちんと「さん」づけで言った。カールはうれしかった。席を立った会計主任の机の上に手紙用の秤があるのに気がつくと、火夫の話を聞きながらなんども指先で秤をつついた――シューバルさんはえこひいきをするんです！　シューバルさんは外国人ばかりをひいきにする。火夫である自分を機関室から追い出して便所掃除をさせたのです。あきれ返った話じゃありませんか、火夫に便所掃除をさせるなんて！――シューバルさんは能なしだ、と口走りさえした。事実そうにちがいなかった。カールは親しい仲間にするように、じっと船長を見守っていた。火夫の言葉づかいが不器用すぎるのが少しばかり不安だった。せきこんでしゃべるわりには、何が言いたいのかよくわからない。ともかくも、おしまいまで聞いてみようと船長は腹をきめているらしく、辛抱づよく耳を傾けていたが、ほかの人たちはそわそわしはじめた。船室にひびく火夫の言い分が、みるまに空《うつ》ろになっていくようで、心もとないかぎりだった。まずは私服の男が竹のステッキでコツコツと床を叩きはじめた。キョロキョロしだす者もいた。港湾局の役人はのんびりしていられないらしく、ふたたび書類を取りあげると、ついさっきほど熱心ではないにせよ手早く頁をくりはじめた。士官はテーブルにもどった。会計主任はそれみたことかというふうに、聞こえよがしに溜息をついた。誰もが興味を失っていくなかで、給仕だけは、お歴々にまじった下っぱ人間の悲哀がわかるとでもいうように、カールに向かってまじめ顔でうなずいてみせた。

その間にも、外では活発な港の活動がつづいていた。樽を山のように積んだ平底船が通りすぎたとき、一瞬あたりが暗くなった。樽がひとつもころげ落ちたりしないのは、よほど上手に積み上げたからにちがいない。小さなモーターボートがやってきた。舳先《へさき》に男がひとり、すっくと立っている。その舵とりのまま白い筋をのこして通りすぎた。カールはなろうことなら、いつまでも見送っていたかった。たえまなく動き波間に何かがプカプカ浮いていたが、そのうち波にのまれて見えなくなった。水夫たちがボートを漕いでいた。鈴なりになった乗客を陸《おか》に運ぶためだ。乗客たちはもの静かに、何とも知れない期待をもって乗っていた。しきりにあたりを見まわしている者もいる。港全体がたえまなく動いていた。そのあわただしさのただなかで、よるべない人々は何をするでなく落ち着かないのだ。

とはいえ、ぼんやり外を眺めていられるような状況ではなかった。はっきりさせなくてはならず、手っとり早く正確に述べなくてはならない。火夫ときたら、いったい何をしているのだ？　汗みずくになってしゃべりたてていた。興奮のあまり手をふるわせ、窓辺の台にのせた書類を押さえていることもできない。シューバルを告発するのなら、わんさと材料があり、そのうちのほんの一つで足りるというものだ。それだけで十分シューバルをやっつけることができるのに、いま船長に申し述べたこといったら、何もかもいっしょくたにし、まるきり取りとめがないのである。竹のステッキをもった紳士は天井を向いてそっと口笛を吹いていた。港湾局の役人は士官ともども、書類と首っぴきで顔を上げない。とめどない長話に会計主任が業《ごう》を煮やして割りこんでこなかったのは、船長が落ち着きはらっていたせいにすぎない。給仕は火夫に対する船長の指示を、いまや遅しと待ちかまえていた。

カールはじっとしていられず、ゆっくりと近づきながら、どうすれば上手に口出しができるのかを一心不乱に考えた。ぎりぎりのところだった。もうちょっとでも時機を失えば、事務室からたたき出されて当然である。船長は好人物で、それにちょうどいま、何か特別の理由があって公正な上司というところを見せたいらしかった。とはいえ船長だって、何であれ演奏できる楽器というわけではないのである。火夫ときたら、ただただ気持をたかぶらせ、そのあたりの見さかいがまるでついていないのだ。

カールは火夫に言った。

「もっと手短に話さなくてはいけないんです。もっとはっきりとです。いまのような話し方では船長さんには何のことだかわかりませんよ。船長さんは機関士から走り使いまで、のこらず姓も名前もごぞんじでしょうか。いまのような話し方だと誰のことを言ってるのか、さっぱりわかりませんね。言いたいことを整理して、いちばん大事なことを最初に言って、あとのことはおいおいつけたしていく。いちばん大事なことを言ってしまえば、あとのことは必要ないと思いますよ。ぼくにはあんなにわかりやすく話してくれたじゃありませんか！」

トランクだって盗まれる国なんだから、少しぐらい嘘をついてもかまわない、とカールは自分に言いきかせた。

役立ちさえすればいいのだ！　しかし遅すぎたのではあるまいか。火夫は聞きおぼえのある声を聞いたとたん、話を中断した。だが、自分が受けた屈辱と、おぞましい思い出と、現在の窮状を涙ながらに訴えてきた最中だったので、人の見分けもつかないようすだった。あわてて口をつぐんだ火夫を前にしてカールにもわかったが、いまとなっては急に話し方を変えるわけにはいかないのだ。洗いざらいぶちまけたのに、ちっとも認めてもらえず、そこでまたはじめからやり直すなど、とてもできない相談だった。ぎりぎりのところで一人の味方が現われたが、忠告にきたというよりも、すべてが無駄だったことを告げにきたようなものなのだ。

ぼんやり窓の外など眺めていないで、もっと早く言えばよかった、とカールは思った。そして火夫の前でうなだれ、もう何もかもが駄目というしるしに両手でズボンの縫い目をたたいてみせた。

火夫は誤解した。非難されたと思ったらしく、カールに言い返した。あろうことか、いまや二人は口論をはじめた。テーブルの人々は大事な仕事の邪魔をされて立腹していた。会計主任は船長の寛容さがわからないというそぶりで、どなり立てるかまえだった。給仕もいまやすっかり主人側に立っており、とがった目で火夫をにらみつけている。もうひとり竹のステッキをもった紳士は、ときおり船長のにこやかな視線を受けていたのだが、いまや火夫には興味がないようだった。それどころか反感を覚えている感じで、やおら手帳をとり出した。手帳とカールを交互に見やっている。頭がすっかり、そちらに移っているらしかった。

「知ってますよ、知ってますとも」

いまや自分に向けられたおしゃべりに手をやきながらカールは言った。いろいろ言い返すあいだにも、余裕のほほえみは絶やさないように努力した。

「そのとおりです。そうだとも、ぼくはこれっぽちも疑ってなどいないんです」

相手が手を振りまわすので、うっかりすると平手打ちをくいかねない。その両腕をおさえていたかった。それ以上に隅へ引っぱっていき、ふたことみこと耳もとにささやいて落ち着かせたいところだった。だが、火夫はいきり立っていて手がつけられないのだ。思いあまって部屋にいる七人全部を力でどうにかしかねない見幕だった。カールはそうなればそうなったで、せめても胸のつかえが下りるような気がした。テーブルには押しボタンがずらりとあって、どれもが回線とつながっている。片手でグイッと押しさえすればいい。とたんに船全体がさま変わりして、廊下という廊下に抗議する人々があふれ返るというものだ。

このときだった、これまでまるで関心なさそうに突っ立っていた竹のステッキの紳士が、つかつかとカールに歩みよった。

「あなた、なんてお名前ですね？」

まるでこの瞬間を待ちかまえていたかのように、ドアにノックの音がした。給仕が船長の顔を見た。船長がうなずいた。給仕が進み出てドアを開いた。古風なフロックを着た、ふつうの背丈の男が立っていた。その出で立ちは機械の仕事には不向きではあれ――ともあれシューバルにちがいなかった。誰もがホッとした。船長も例外ではなかった。それよりもカールには、火夫の反応ぶりが目にとびこんだ。火夫ときたら両腕をのばして拳を固め、いまこそ生きるか死ぬかのせとぎわとでもいうように、全身をつっぱらかした。

宿敵が現われたのだ。きちんと礼服を着こなしている。たぶん、火夫の賃金や勤務評定を書きこんだものだろうが、帳簿を小脇にかかえていた。この場の一人ひとりの状態を見定めたいとでもいうふうに、おめず臆せず順にじっと見つめていく。七人のお歴々全員が味方というものだ。船長がつい先ほど、少し非難めいたことを口にしたが、それはシューバルがこれまで火夫にこうむった御苦労賃とでもいうもので、おそらくこのシューバルには天下晴れてやましいところなどないのだろう。火夫のような男には、たっぷりお灸をすえてやらなくてはならない。かりにシューバルに小言をいうとしたら、あばれ馬の火夫を航海中に手なずけておかなかったことぐらいであって、だからこそ本日、あばれ馬が船長のところにあばれこんだというものだ。

　だが、こうも考えられる。シューバルが猫をかぶっているとしたらどうだろう。その場合は、火夫との対決が、より高度な裁きの場で効果をあらわすというものだ。猫かぶりは、いつまでも通用するはずがないからだ。チラッと地がすけて見えさえすれば十分であって、そこのところがカールのつけめなのだ。ここにいる紳士たちの鋭いところと弱点と感情のありどころは、もうわかっている。それを思えば、これまでのことは無駄ではなかった。要するに火夫が首尾よくやってくれさえしていればよかったのだ。だが、いまとなっては戦闘再開も不可能だ。誰かがシューバルをおさえていてくれたら、やつの頭を拳でしたたか殴りつけもできようが、しかし二、三歩近づくことすらできやしない。うかつだったとカールは思った。どうしてもっと早く、シューバルのやつがやってくることに気がつかなかったのだろう。遅かれ早かれきっと現われた。自分からやってくることはなくても、船長に呼ばれてのことだってある。そして自分たちは、どうして先に入念に打ち合わせておかなかったのか。ここにドアがあったから、何のあてもなくずかずかと入ってきただけのようではないか。万一すべてが順調に運んだとして、いざ訊問される段になったとしたら、そもそも火夫は陳述できるだろうか。「はい」とか「いいえ」がきちんと言えるのか。脚をひらいて突っ立っている。

膝が定まらない。やや顔を突き出し、口をひらいて息をしている。まるで呼吸をつとめるはずの肺がないみたいではないか。

カールは全身に力がみなぎってきたような気がした。しかも冷静だった。家にいたとき、ついぞなかったことだ。両親に見せたかった。遠い異国で、お歴々の前で、善良な人のために闘っているのだ。まだ勝利を収めたわけではないが、必ずや最後には勝利を収めるはずなのだ。両親は見直してくれるだろうか？　両わきからながめあって、ほめてくれるのではないだろうか？　親おもいの息子の目を、やっと初めて見たと言うのではあるまいか？　はたしてどうなのか、それは全然わからないし、このいま、そんなことを考えるなんて、まったく場ちがいというものだった！

「火夫が何かよからぬことを申し立てているそうですので、やって参りました。こちらに押しかけていったようだと調理場の娘が申しておりました。船長さま、またこちらにおいでの皆さま、わたしはいつでも申し開きの用意がございます。ちゃんとした帳簿はもとより、必要ならば中立公正な証人を立てることもできます。まさにその証人たちをドアのところに立たせております」

シューバルはこう言った。一人の男のはっきりした弁舌というもので、誰かれ問わず顔にあらわれた表情よりして、ようやく人間らしい言葉を聞いたという感じだった。つまり人々は流れるような弁舌にも、あちこちに穴があいていることに気づいていないのだった。出だしの言い方がそもそもあやしい。どうして「よからぬこと」なのか？　国籍のちがいからくる不都合をいいことに、よからぬことが企まれていると言うつもりなのだろうか。事務室に押しかけていくのを調理場の娘が見たというが、それだけでどうしてすぐにピンときて、事の次第がわかったりするのだろう。そんなふうに頭の回りがいいというのも、自分にやましいところがあるせいではないのか。わざわざ連れてきておきながら、公明正大な証人だなどと言っている。ペテンだ！　ペテン以外の何でもない！　おえらがたはわからないのか、これをまっとうな陳述と思っているのか？　調理場の娘に聞いてから、ついいましがたまで、彼はいったい、どこで何をしていた？　つまりはチャンスをねらっていたのだ。火夫が紳士がたを手こずらせ、判断力を混乱されるまで待機していた。まさしくその判断力を恐れていたからに相違ない。ずっとドアのところに立っていた。さきほど、窓ぎわの紳士がどうでもいいことをたずねたりして、火夫の件にけりがついたようだと見きわめたからこそ、やおらノックをしたのではないのか。

何もかもお見通しだ。当のシューバルの口から心ならずもこぼれ落ちた。だが紳士がたには手をかえて、もっとわかりやすく示さなくてはならない。さあ、急げ、ぐずぐずするな、証人がしゃしゃり出たら、もう手おくれだ！

このとき船長が合図をしてシューバルを下がらせた。シューバルは自分の出番が少しあとまわしになったのを見てとって、えたりかしこしとばかりにわきへ下がると、心得顔の給仕と何やらひそひそ話しはじめた。話しながらも横目でじろじろ火夫とカールをねめつけて、もったいぶった手つきをやめない。どうやらあとでまた、立て板に水の弁舌を振るうために練習をしているらしかった。

「ヤーコプさん」

沈黙を破って船長が竹のステッキの紳士に声をかけた。

「こちらの若いかたに、何かおたずねになったのではありませんか」

「ええ、まあ」

小さく会釈してから、紳士はふたたびカールにたずねた。

「あなた、なんてお名前ですかね？」

わざわざくり返して訊くからには、このたびのことと何か関係があるのだろう、とカールは思った。パスポートを突き出して自己紹介するかわりに、簡単に名前を言った。そもそもパスポートをどこにしまったのか、さっぱり思い出せないのである。

「カール・ロスマンです」

「ほほう」

ヤーコプとよばれた男は、まるきり信じられないというふうにほほえんで、うしろに下がった。船長や会計主任や船の士官、それに給仕にいたるまで、カールの名前を聞いてひどく驚いたようすだった。港湾局の役人とシューバルだけは無関心だった。

「ほほう」

と、ヤーコプ氏がくり返して言った。それから、ややぎこちない足どりでカールに近づいた。

「するとおまえは私の甥だ。伯父のヤーコプだよ」

ついで船長に言った。

「さきほどからずっと、どうもそうではないかと思っていたのです」

誰もが黙って見守っているなかで、カールを抱きよせてキスをした。

「なんてお名前なんですか?」

カールはからだをふりほどくと、丁寧ではあれ冷やかに言った。このような新しい事態が火夫の一件にどう影響するものかが気がかりでならない。さしあたりシューバルが先手を打って、これを利用する気づかいはなさそうだった。

「あなたにはまだご自分の幸運がわかっていないようですね」

船長が声をかけた。カールの問いにヤーコプ氏の体面が傷ついたように思ったらしいのだ。ヤーコプ氏は窓の方を向いて、ハンカチを目に当てていた。感動の涙を人に見られたくないからにちがいなかった。

「上院議員のエドワード・ヤーコプさんですよ。あなたの伯父さんだそうじゃありませんか。思ってもみなかったような輝かしい未来がひらけたってものですよ。いいですか、わかりますか、あなた、どうかしっかりなさいよ」

「ヤーコプという伯父がアメリカにいることはいるのです」

カールは船長の方に向きなおった。

「でも、いまうかがったところでは、こちらの上院議員さんは姓がヤーコプなんですね」

「そうですとも」

船長が顔を輝かせた。

「ヤーコプ伯父さんは母の兄で、名前がヤーコプなんです。姓はむろん、ぼくの母親と同じでベンデルマイヤーというんです」

上院議員が窓のところからもどってきた。もうすっかり元気になっており、カールの言葉を引き取って声をあげた。

「皆さん！」

港湾局の役人を除く全員が笑いだした。感動のあまりの者もいれば、わけがわからないらしい者もいた。

自分が言ったことは、そんなにおかしいことでもなかったのに、とカールは思った。

「皆さん」

上院議員はくり返した。

「はなはだ申しわけないことながら、少々私事を話させていただきたい。それと申しますのも、そこにおられる船長はともかく――」

たがいに軽く会釈した。

「ほかの皆さまには、事情が呑みこめないでありましょうから」

ひとことも聞き洩らさないようにしなくちゃあ、とカールは自分に言いきかせた。そっと横目で見たところ、火夫が元気をとりもどしかけているらしいのがうれしかった。

「この私がご当地アメリカに滞在するようになりまして、すでに長い歳月がたちましした

――いや、滞在などという言葉は、もはや生粋のアメリカ市民というべき私には不適当でありましょう――この長い歳月のあいだ、ヨーロッパにおりますところの血縁とは、まったく疎遠にすごしてまいったのであります。その理由はあらためて述べるほどの筋合でもありませず、それに述べようといたしますと、いろいろこみあげてくるものがあるのでありまして、この点、いずれわが愛する甥に語ってきかせなくてはならない日がくるかと思うと、こころ重い次第であります。なにぶん好むと好まざるとにかかわらず、当人の両親なり、家のことなりを避けてとおるわけにもまいらないのでありましてね」

(伯父さんだ、まちがいない)

カールは心でつぶやいた。

(たぶん、名前を変えたんだ)

そして、なおも耳をすませた。

「ここにおりまする私の甥は、両親の手によって捨てられたのであります――はなはだ穏当を欠く言い方ではありますが、真相を申すため、万やむをえず使うのをお許しいただきたい――腹立ちまぎれに飼い猫を戸口から放り出すぐあいにして捨てられたのであります。当人にそれ相応の非がなかったとは申しません。しかし、しょせんはたわいないことでありまして、あらためて申すのもおこがましいほどのものなのです」

(うまい言い方があるもんだな)

と、カールは思った。

(だけど洗いざらいしゃべられるのはうれしくないな。だいいち、あれを知っているわけがない。誰に聞いたというのだろう?)

「さて、この甥はですな――」

と言いながら、軽く竹のステッキによりかかった。それによって、この場には不必要な格式ばったところが消え失せた。

「つまりこの甥は、ヨハンナ・ブルマーと申しまして三十五歳にもなろうかという女中に誘惑されたのであります。《誘惑される》などと申しますと甥自身には面白くないかもしれないのですが、ほかに言いようもありませんでしてね」

カールはいつのまにか伯父の身近にきていた。このとき、くるりとうしろを振り向いた。いまの報告がどのように受けとられているか、まわりの表情を見たかったのだ。誰も笑わなかった。じっと真面目な顔で聞いていた。上院議員の甥の身の上について笑うなんてしないのだ。ただひとり火夫がチラッと笑みを浮かべたのが目にとまった。元気づいていたせいであり、それに船室ではカールが固く口をとざしていた秘密が、いま大っぴらになった点を考えると、許せないことではないのである。

「さて、そのブルマーという女中であります」

伯父は話をつづけた。

「彼女は子をもうけました。健康な赤子はヤーコプという洗礼名を受けたのであります。あきらかにこの私にちなんでのことでありまして、甥はたまたま、何かのおりに私のことを申したらしいのです。それが女中には強い印象を与えたにちがいないのです。幸いにも、と申せましょう、というのは両親は養育費のことや、面倒なことがもちあがるのを恐れてでありましょうが——とは申せ、ここで強調しておきたいのですが、私はかの地の法律も甥の両親の生活のぐあいも、まったくあずかり知らないのでありましてね——ともかくも養育費の支払いや悪い噂を避けるためにも、息子をアメリカに放逐することにいたしたらしいのです。無責任きわまる仕打ちと申さねばなりますまい。こんな若いみそらで、よるべのない生活者として生きていかなくてはならなかったのです。いや、ことによると今ごろすでにニューヨークの港町の横丁あたりでくたばっておったかもしれません。もし当の女中から私あての手紙が届いていなければ、の話でしてね。手紙はあちこちに転送されたあげく、一昨日、やっと届いたのです。女中はその手紙のなかに、私の甥の顔立ちやら何やらを書いておりました。それに賢明にも船の名前をあげておいてくれたのです。いかがですかな、もし関心があるようでしたら、ところどころ抜き読みいたしてもよろしいのです」

ポケットから大きな、びっしりと書きこまれている二枚の便箋をとりだして、ふりかざした。

「感動的な手紙と申せましょう。拙い文章ではありますが、善良な抜け目のなさといったものが読みとれましてね。わが子の父親にたいする愛情こめて書かれているのです。とはいえ、いまこの場の座興のタネといたすのは控えさせていただきましょう。甥にもまだ何らかの思いが残っているかもしれず、それを傷つけたくはないのです。いずれ部屋をあてがってやったあかつきに、今後の教訓用にも、ひとりでしみじみ読ませてやりたいものでしてね」

カールには何の思いもないのだった。ますます遠ざかっていく記憶の中で、女中が台所の食器棚の横にすわり、棚板に肘をついている。父のために水飲みコップを取りにきたり、母親の用を伝えにくるたびに、彼女はじっとカールを見つめた。食器戸棚のそばで変なふうにからだをねじって手紙を書いていることがあった。カールの顔を見たら書くことが思い浮かんだと言った。片手で目をふさいでいることがあったが、それは書き出しがつかめないからだそうだった。台所の隣の小さな女中部屋で、木の十字架の前にひざまずいていることがあった。そんなときカールは通りすがりに、少しあいた戸のすき間からおずおずとながめたりした。台所でカールが前にくると、魔女のような笑い声をたてて駆けまわったりもした。取っ手を握ったまま戸口に立ちふさがり、カールが出してくれとたのむまで通せんぼをしたこともあった。ときには願いもしないのに、黙って何かの品をカールの手に押しつけた。

そんなある日、女中が「カール」と名前を呼んだ。予期しない呼びかけにとまどっているカールの手をとると、顔をゆがませ息づかい荒く、自分の小部屋につれこんで鍵をかけた。それから息がつまるほど強くカールの首を抱きしめ、裸にしてくれとたのんだ。実際は自分から裸になり、彼女がカールの服をぬがせた。カールをベッドに寝かせると、こんりんざい誰にもわたさないというふうに抱きよせ、撫でさすった。

「カール、わたしのいとしいカール」

叫びながら見つめなおし、抱きすくめた。ところがカールのほうは何も目に入らず、彼女が彼のために積みかさねたらしい何重ものあたたかいふとんのなかで、ただ居ごこちが悪かった。彼女も横になってカールの秘密を聞きたがった。そんなものはないと言うと、ふざけてだか本気でだか怒りだし、彼をゆさぶった。それからカールの胸に耳をあてた。つづいて乳房をゆすり上げて心臓の鼓動をきいてほしいと言った。カールが断わると腹を押しつけてきた。片手でカールの股のあいだをまさぐった。いやらしさに我慢ならず、カールは思わず首を枕からせり出した。女中の腹がなんどか自分のからだと衝突した——カールにはそれが自分自身のからだのような気がした。たぶんそのせいだろうが、必死になって何かをこらえた。そのあと、またきっと会って欲しいと、くどくどと懇願されたのち、カールはようやく泣きながら自分のベッドへもどったのである。

これが真相だった。ところが伯父は、それをいともうるわしい話に仕立てるすべを心得ていた。ともあれ、女中は自分なりにカールのことを思っていて、それで手紙を書いたわけである。心あたたまる行為であって、いずれ何らかの返礼をしてやらなくてはならないというものだろう。

「さあ、どうだな」

と、上院議員が大声で言った。

「私はおまえの伯父なのかどうか、はっきり言ってもらいたい」

「伯父さんです」

カールはその手にキスをした。そしてお返しに伯父から額にキスを受けた。

「伯父さんに会えて、とてもうれしいです。ぼくの両親は伯父さんのことで、悪口ばかり言っていたわけでもないんです。その点、伯父さんはまちがっています。ほかにもいまの話には、いくつかまちがいがありました。つまり、実際はあんなふうに起こったわけではないのです。でも、こちらにおられる伯父さんに全部ことこまかにわかる道理がないし、それにこの場の皆さんが、こまかいところでまちがったことをお知りになったとしても大勢に影響はないのです。皆さんには、少しもかかわりのないことなんですから」

「よく言った」

と、上院議員が言った。そして見るからに共感あふれた表情の船長の前へカールを連れていった。

「すてきな甥でしょう」

「まったくです」

船長は軍隊訓練を受けた人におなじみの敬礼をした。

「甥御さんとお会いできてうれしいかぎりです。このような出会いの場が私の船だったとは、まことに名誉なことであります。とはいえ三等船室の船旅は、さぞかしひどいものだったでしょう。残念ながら、どのような人が乗っているのやら、われわれは知りうる立場にないのです。三等船室の皆さまにも船旅をたのしんでいただけるよう、全力を尽くしておりまして、この点、アメリカの船会社よりずっとましだと信じております。とはいえ快適な船旅というには、まだほど遠いのです」

「べつにひどくはなかったですよ」

と、カールが言った。

「べつにひどくはなかったとさ！」

大声で笑いながら上院議員がくり返した。

「ただ惜しいことに、ぼくはトランクをなくしてしまったらしいのです――」

とたんにカールはこれまでのこと全部と、まだしのこしていることを思い出して、まわりを見まわした。人々は驚きの表情をうかべて、うやうやしく同じところに立ったままカールに目をそそいでいる。港湾局の役人だけは、そのいかめしく自足した顔から見てとれるかぎりでは、間の悪いときに来たのを悔やんでいるらしく、ここで起こったことや今後になお起こりそうなことよりも、いま手にとって見つめている懐中時計のほうがずっと気がかりなようだった。

驚いたことに、船長につづいて火夫が祝福を口にした。

「いや、どうも、おめでとう」

カールの手を握り、何か意味深いことを表わすかのようにゆさぶった。火夫はつづいて上院議員に同じ言葉をかけるべく向きなおった。しかし、それが分《ぶん》をこえたことであるのをわからせるように議員が一歩足を引いたので、火夫はすぐさま思いとどまった。

ほかの人たちもなすべきことを見てとって、さっそくカールと上院議員のまわりに押しよせた。そんなわけでカールがシューバルからお祝いされ、返礼の言葉をかけるなどの事態にも立ちいたった。ひと騒ぎが収まったあと、やおら港湾局の役人が英語で二語の祝福を口にしたが、それはなんともおかしげな印象を与えたものだった。

上院議員は上機嫌だった。喜びを満喫するため、事の成りゆきをあらためて一つ一つ自分に言いきかせ、またまわりの人に言いたてた。人々はむろんのこと辛抱して聞いているだけではなく、大いに関心を見せて応じていた。たとえば上院議員はこんなことを披露した。女中からの手紙に書いてあった甥の特徴を、万一の場合を考えて手帳に書き写しておいたのだが、火夫がとんだおしゃべりをしているあいだ、まずは気をまぎらわすために手帳を取り出してながめていた。女中が書いている観察は、探偵がするような正確なものではないにせよ、ともかくもためしに較べてみた、というのである。

「かくして甥を見つけたわけですよ！」

あらためて祝福を期待するような口調で話を結んだ。そんな伯父を聞きながしてカールが言った。

「火夫の件はどうなりますか？」

いまの立場であれば、言いたいことを言ってもいいとカールは思った。

「その身に応じた処置がなされようさ」

と、上院議員が答えた。

「船長がいいように取りはからってくださるとも。話はいまも当人から、十分すぎるほど十分に聞かされた。この点、ほかの皆さまも同感なさるだろうよ」

「そのことじゃないんです」

と、カールは言った。

「正義が問題なんです」

伯父と船長との間に立っていた。たぶんその位置のせいだろうが、決めるのはこの自分であるような気がした。

そんなカールの意気ごみに反して、火夫はもうすっかりあきらめたというふうに両手をズボンのベルトにつっこんでいた。そのため落ち着きのない動きにつれて、模様入りのシャツの裾がはみ出てきたが、少しも気にとめていないようすだった。文句はのこらず言ったのだ。いまさらシャツのはじっこが見えようとかまわない。追い出したければ追い出すがいい。給仕とシューバルは、ここにいる人のなかでいちばん身分が低いのだから、せめて二人がこの自分に最後の好意を示すべきではあるまいか。とどのつまりケリがついて、シューバルはもう二度と会計主任が言ったような絶望に陥らずにすむだろうし、船長は好きなだけルーマニア人を雇える。船の中がルーマニア語だらけになったとしても、そのほうが万事うまくいくかもしれない。火夫ふぜいが会計本部でわめきちらすこともなく、今回の一件が最後の不祥事というもので、のちのち話のタネになるのが関の山だ。ともあれ上院議員が言ったように、まさにこの一件が甥を見つけ出すきっかけになった。そしてこの甥はいろいろ尽力してくれたのであって、それでもって出会いをお膳立てしたことの礼はすんだも同然であり、自分はこれ以上、何を望んでいるわけでもない。それにカールがたとえ上院議員の甥であれ、船長であるわけでもなんでもないのであって、つまるところ船長の口からよからぬ評定が下されるにちがいないのだ――といったわけで、火夫は自分の考えにしたがい、つとめてカールを見ないようにしていた。しかしそうなると、この部屋ではやっかいなことに目のやり場がないのだった。

「事態をきちんと見なくてはならん」

上院議員がカールに言った。

「正義の問題かもしれないが、同時に規律の問題でもある。この二つのうち、とりわけ後者が船長の判断によるのだからね」

「そうですとも」

つぶやくように火夫が言った。そんな火夫に気がつき、つぶやきが聞きとれた人は、けげんそうに当惑の微笑を浮かべた。

「船長さんにはとんだお邪魔をいたしました」

上院議員が言った。

「船がニューヨークに到着して、片づけなくてはならない仕事が山のようにあるというのにです。私どもは、そろそろおいとまするといたしましょう。お邪魔した上に、機関夫をめぐる船内のちょっとしたもめごとに口出しするなど、とんでもないことです。いいかね、カール、甥っ子のおまえの人となりや行動の仕方はよくわかった。だからこそ、すぐにでもおまえをここからつれ出さなくてはならんのさ」

「さっそくボートを手配いたしましょう」

と、船長が言った。カールの驚いたことに船長は、伯父があきらかに儀礼的に卑下してみせただけなのに、少しも異議をさしはさまないのである。会計主任がいそいで事務机にとりつき、電話で水夫長に命令を伝えた。

（時は切迫している）

と、カールは思った。

（でも、何かしようとすれば皆を傷つけるだけなんだ。やっと見つけたといって喜んでいる伯父を見すてるわけにいかないし、船長は丁寧だけれど、ただ丁寧なだけのことだ、規律が問題になれば、いつまでも丁寧だというものでもない。伯父の言ったことも本心からにちがいない。シューバルは論外だ。さっき握手したのが悔やまれるほどだ。ほかのやつらときたら、そろいもそろってクズばかりだ）

そんなことを思いながらゆっくりと火夫に近づき、ベルトにつっこんでいた相手の右手を引っぱり出して、自分の両手につつみこんだ。

「どうして何も言わないの？　されるがままになっているつもりなの？」

火夫は言うべき言葉が見つからないといったふうに額にしわをよせ、カールと自分の手とぼくはちゃんと知っているんだ」を見つめていた。

「不正が行なわれたんだ、この船の誰もが受けたことのないような不正なんだ。ぼくはちゃんと知っているんだ」

カールは火夫の指のあいだで自分の指をここかしこと動かした。火夫の目がきらきらと光った。恍惚とした顔つきで誰はばからずあたりを見まわしている。

「自分を守らなきゃあいけない。白か黒か、はっきりさせなくちゃあ。さもないと誰にも本当のことがわからないよ。どうかぼくの言うとおりにするって約束して。これからさきは、ぼくはもうきっと助けてあげられないと思うんだ」

カールは火夫の手にキスをすると、わっと泣きだした。ひび割れて、まるで鉱物のような手を握りしめ、あきらめなくてはならない宝物のようにいとしげに頬ずりした――。このときすばやく伯父の上院議員がそばにきて、そっとカールを引きはなした。

「火夫にまいっているらしい」

そう言いながら、わからないでもない、といったふうにカールの頭ごしに船長を見やった。

「おまえは見捨てられ、ひとりぼっちだった。そんななかで火夫と出会った。だから感謝の気持からも何かをしてやりたいのだろう。それはそれで結構だが、しかし、人にはそれぞれの立場ってものがある、おまえもそろそろ、自分の立場をわきまえなくてはなるまいよ」

ドアの前で騒ぎがもち上がった。いくつものわめき声がした。無理やり押し入ろうとしているようすだった。つづいて水夫がひとり、だらしない格好で女中のエプロンをつけて現われた。

「ほかにも外にいますぜ」

大声で言うと、まだもみくちゃになっているかのように両肘をつっぱらかした。そのうちやっと我に返った。船長に敬礼をしようとしたとたん、エプロンに気がついて、引きむしると床に投げつけた。

「ひでえことをしやがる、女中のエプロンを着せやがった」

音高く踵を合わせて敬礼した。笑いが起こりかけたが、船長が厳しい声で制した。

「ご機嫌だな。外にいるのは誰だ?」

「私の証人でございます」

シューバルが進み出て言った。

「連中のご無礼をお赦しください。航海が終わると、はめを外したがるのです」

「すぐに呼び入れろ!」

船長が命令した。そして上院議員に向きなおると、丁重に、しかし早口で言った。

「では恐れいりますが、甥御さんといっしょにボートに乗り移っていただきます。この水夫がご案内いたします。あらためて申すまでもなく上院議員殿としたしくお知り合いになれましたことを、うれしく思っております。この上ない名誉であります。いずれアメリカの艦船のおかれている状況につきまして、あらためてお話をうかがうことができれば、ありがたい幸せでございます。その節にはまた本日のように、うれしい出会いによりまして、話が中断されるかもしれませんが」

「さしあたりはこの甥ひとりで十分ですよ」

笑いながら伯父が言った。

「いずれにせよ、ご親切に感謝いたします。ご機嫌よう。このつぎには、なんですな——」

カールをやさしく引きよせた。

「こいつともどもヨーロッパ旅行に出かける際に、今度はたっぷり長い時間、ご一緒させていただくことになるかもしれませんな」

「そうなればどんなにうれしいことでしょう」

二人はしっかり握手した。カールは黙って、そそくさと手を差し出した。というのは船長はすでに十五人からの人間の相手をしなくてはならなかったからである。彼らはシューバルのうしろから多少ともおずおずと、とはいえ大声で話しながら入ってきた。水夫が案内を中し出て、歩きながら人々を押し分けてくれたので、お辞儀をしている連中のあいだを上院議員とカールは、なんなく通り抜けることができた。これら陽気な連中はシューバルと火夫との悶着をもっけの座興と思っているらしく、船長の前であろうと大いに楽しむつもりらしかった。そのなかに台所女のリーネがいた。娘はカールに気がつくとたのしそうにウィンクをして、水夫が投げてよこしたエプロンを身につけた。それは彼女のものだった。

水夫のあとにつづいて事務室を出て、狭い通路に入った。二、三歩で小さなドアの前にきた。そこからタラップが下がっており、下にボートが用意されていた。ボートの中の水夫たちは、案内の水夫がひとっ跳びでとびのると、立ち上がって敬礼した。用心してタラップを下りるようにと上院議員がカールに注意しかけたとたんに、最上段にいたカールがわっと泣き出した。上院議員は右手をカールの顎にそえ、しっかと抱きすくめると左手でやさしく愛撫した。それから二人して一段一段タラップを降りていった。抱き合ってボートに乗り移ると、上院議員はすぐカールを真向かいの特等席にすわらせた。上院議員の合図に応じて水夫たちは船をどんと突きはなし、いっせいに力一杯漕ぎはじめた。ほんの数メートルはなれたとき、こちらがちょうど会計本部のある側であることにカールは気がついた。例の三つの窓が見えた。どの窓にもシューバルの証人たちが鈴なりで、手を振ったり、ウィンクを送ったりしていた。伯父が手を上げて応えた。水夫の一人は漕ぐ手を休めずに投げキッスを送るという名人芸を披露した。火夫など、はじめからどこにも存在しなかったかのようだった。すぐ前に伯父がいた。膝と膝とが触れ合うほどの近さだった。カールはじっと伯父を見つめた。いつかこの伯父が火夫の代わりになってくれるのかどうか、それは疑わしいことだった。伯父も視線をそらし、ボートを揺らしている波をじっと見つめていた。

# 『流刑地にて』の読者のために

池内　紀

二十世紀の作家フランツ・カフカが現われたのは、第二次世界大戦が終わった直後、一九四五年から四六年にかけてのことである。ニューヨークで出版されたマックス・ブロート編集『カフカ全集』が大きな反響を巻き起こし、主だった国々でいっせいに翻訳が始まった。

笑い話のようなエピソードが伝わっている。原書が一冊きり。コピー機のない時代であって、原書を「引きちぎって」訳者たちに配った。へんな区切りで渡された人は、主人公が何ものなのやら、最後までわからぬままに訳したそうだ。

真偽はともかく、多少ともそんな状況があったのかもしれない。「カフカ」という名前が変わっている上に、小説そのものが風変わりである。朝、目を覚ましたら虫になっていた男の物語など、これまで読んだためしがない。ほかにもヘンテコなのがどっさりある。

作者自身はすでに亡くなっており、このたびやっと「発見」されたという。秘密の宝物が見つかったのにも似て、その事情がまた関心をあおり立てた。一冊の原書を「引きちぎって」まで翻訳者を動員したのは、それだけ刊行を急いだ出版社の思惑があったせいにもよるのだろう。

では、それまでカフカはまるきり知られていなかったのか？　そうではない。まったくの無名というのではなく、ごくかぎられ数にせよ読者がいた。評価する批評家もいた。ただ時代があまりにも悪かった。一九二四年のカフカの死の前後から、ドイツではヒトラーの率いるナチ党が活動を始め、一九三三年には全権を掌握、ついでユダヤ人弾圧にのり出した。ユダヤ系作家の書物は、書店からも図書館からもいっせいに姿を消した。もともと部数の少なかったカフカの本が人の目にふれるなど、およそ望めないことだった。

「今彼の読んでいるのは、フランツ・カフカという男の『窖《あな》』という小説である。小説とはいったが、しかし、何という奇妙な小説であろう」

中島敦《あつし》の『狼疾記《ろうしつき》』の一節。「彼」とあるのは三造という名の主人公のこと。そんな人物を借りて中島敦は、自分の日常を小説に取りこんだ。つづいて「フランツ・カフカという男」について述べている。

「此の作者は何時《いつ》もこんな奇体な小説ばかり書く。読んで行くうちに、夢の中で正体の分らないもののために脅されているような気持がどうしても附纏《つきまと》ってくる」

中島敦（一九〇九―一九四二）は名作『山月記』や『光と風と夢』『李陵』などで知られている。女学校の教師のかたわら小説を書き、その大半が遺稿として、ようやく死後に本になった。勤めを持つ身で、ひっそりと小説を書いていたこと、また結核で早くに死んだ点でもカフカとよく似ているが、『狼疾記』は一九三六年の作。ここに語られている「窖」は、カフカのノートに残されていた短篇の一つで、一九三一年、マックス・ブロートが遺稿を整理し、『万里の長城』のタイトルで本にした。一九三三年、ロンドンの出版社から英訳が出た。中島敦は勤め先で国語のほか英語も教えており、英語がよくできた。死後、仕事部屋の書棚に並んだ洋書のなかに、フランツ・カフカ『万里の長城』の英訳本がまじっていた。いつ手に入れたのかはわからないが、当時の洋書事情からして、出てからごく早い時期のことにちがいない。

いずれにせよ中島敦は、およそひと目にふれることの少なかったカフカの小説をいち早く読み、きちんと評価していた。並外れて早い時期に、カフカのおもしろさを語った数少ない一人だった。

『判決』は一九一二年九月の作。このときカフカ、二十九歳。彼はこれを九月二十二日から二十三日にかけての一晩で書いた。夜十時ごろに取りかかり、朝の六時に書き上げた。よほど熱中していたのだろう、すわりづめの両足が硬直していて、机の下から引き出すのに苦労した。

はじめは漠然と、「ある戦いのこと」を書こうと考えていた。一人の若い男が窓から外をながめている。そんな出だしのイメージだけがあった。

「ところがペンを取ったとたん、すべてがちがったものになってしまった」

カフカ自身が述べている。短篇『判決』によって、書くべき小説の方法がわかったという。自分のスタイル、「自分の方法」を見つけたというのだ。

何を、どのように書くのか、予定をしていたのでない。「暗いトンネルを行く」ようにして書き進め、書きながら物語をつくっていった。

「書きながら追いついた」

そんなふうにも述べている。

「小説は、ひとえにこのようにして書かれるべきものだ」

日ごろのカフカには珍しく、強い口調で述べている。

ノートが残されているが、躍るような文字で書かれていて、異様なまでに直しがない。ドイツ語の句読点は、ふつう意味のニュアンスに応じて何種かを使い分けるが、カフカはノートの段階では、ほとんど句読点をつけなかった。どうしても必要なときは、コンマだけですましている。自分にわかりさえすればいいのであって、何よりも書き進めること。ほとんど句読点のない、流れるような筆跡が、作品の生まれていくスピードをうかがわせる。

わずかに見られる訂正は、ほぼ例外なく文法上のこと。おりおり何行かが、ときには何十行もが斜線でそっくり消されている。「暗いトンネル」で方向のまちがいに気がつき、引き返してから、あらためて方向を決め直したのだろう。

若い商人ゲオルク・ベンデマンが主人公。父と二人で住んでいる。商売は順調、生活も快適、婚約者がいて、近く結婚する予定。そのことをペテルブルクに住む友人に、伝えるべきかどうか迷っている。友人のほうは、まるで逆で、ひと山当てるつもりでロシアへ行ったが、やることなすことうまくいかず、尾羽打ち枯らした生活をしている。そんな友人に、すべてが順調な自分の近況を伝えるのは、相手を傷つけることにならないか。

陽あたりのいい自分の部屋で、ともかくも友人宛の手紙を書き終え、それをポケットへ入れて部屋を出た。廊下を横切って父の部屋へ行く。

「ゲオルクはビクッとした。陽が輝いている午前だというのに、父の部屋はずいぶん暗い」

小さな中庭の向こうに塀がそびえていて、影を落としている。部屋の隅に、死んだ母親の形見が飾ってある。父はその隅に近い窓ぎわで新聞を読んでいた。

「この部屋、いやに暗いですね」

「ああ、暗い」

そんな親子のやりとりのあと、物語は一気に幻想性をおびていく——。

書き終えたとき、カフカには「やった!…」といった気持があったのではなかろうか。ちょうど起きてきたばかりの妹二人をつかまえて小説を読んできかせた。勤めに出る気にならなかったのだろう。勤め先に「軽い発作」の名目で欠勤届を書き、下の妹に届けさせた。

『流刑地にて』を書いたのは、ほぼ二年後の一九一四年十月のこと。長篇『審判』を書いていたときで、後半に入って書き悩み、勤め先から一週間の休暇をとって小説に集中した。しかし、やはり思ったように進まず、もう一週間、休暇を延長した。せっかくの休みをムダにしたくなかったのだろう、『審判』はひとまずわきに置いて短篇にかかり、『流刑地にて』を書き上げた。三日間をあてたようだ。

小説の舞台は流刑地の島。そこの奇妙な処刑機械が語られていく。

「実にたいした機械でしてね」

登場人物よりも、こちらが主人公のようなけはいがある。三つの部分からできていて、それぞれあだ名でよばれており、下のところが「ベッド」、中間部が「馬鍬《まぐわ》」、上の部分が「製図屋」。「ベッド」に縛りつけられた囚人を、「馬鍬」に取りつけた針が、「製図屋」の指図のままに刺し、刻んでいく。

カフカは機械にくわしかった。勤め先の労働者傷害保険協会は、労働現場の事故に応じて保険金を支払う。保険金請求書が協会に届くと、まず書類審査をする。記載事項に不審があるとき、協会職員が現場へ出かけ、事故を査定して保険金を決定した。

そのためには機械や技術に通じていなくてはならない。生産や製造のシステムも知っている必要がある。カフカが担当した北ボヘミア地区は、とりわけ工業化が進んでいたところで、つぎつぎと新しい機械が導入され、不慣れな労働者に事故がたえなかった。

カフカは協会の年次報告書に、毎年のように寄稿していた。その一つで新式製材機を取り上げている。これまでの機械とくらべて何倍も効率はいいが、操作が複雑で、うっかりすると指をとばされる。腕を切断されることもある。

二等書記官ドクター・カフカがじきじきに、指や指先を切断された手の挿絵つきで、新しい機械の欠陥を述べている。「安全装置」がついているが、覆いが不完全で、刃の部分がむき出しになり、一瞬にして労働者の腕をとばしかねない。

年次報告書に発表した「新式製材機の扱い方」は、フランツ・カフカの名のもとに活字になった、もっとも早い「作品」の一つだった。小説『流刑地にて』が単なる空想の産物でないことがうかがえるだろう。上部の「製図屋」の指示によって、末端の針が一寸刻みに刑を執行するはずが、やがて機械が指示を無視して動きはじめ、とどのつまりは長い針が「からだを刺し貫いたまま」激しく上下運動をつづけた。

奇妙な機械と同じように、流刑地そのものが一人の作家の幻想にとどまらない。小説が書かれてから二十年あまりのち、ナチス・ドイツという独裁国家が誕生した。極端なまでに組織化された管理体制のなかで、その体制から追われた人々にとって、それは巨大な「流刑地」にほかならなかった。

書き上げてから二年後の冬のことだが、ミュンヘンで「新しい文学の夕べ」という催しがあって、若い作家たちが自作を朗読した。その一人としてカフカが招かれ、『流刑地にて』を朗読した。妹や友人たちに自作を読んだことはあったが、見知らぬ人々の前で朗読するのは初めてだった。会場にいた作家が印象を述べてる。

「……黒い髪、蒼ざめた顔、その全身が当惑を隠しきれないでいる」

朗読中に聴衆の三人が失神して、会場から運び出された。カフカが生涯に一度だけした自作朗読会だった。

『観察』と『火夫』について、簡単に触れておく。『観察』はカフカの本として世に出たなかで、もっとも早い。計十八篇は二十代に書かれ、そのうちの八篇が先に雑誌に発表された。短篇というより小品といったもので、カフカ自身は「小さな散文」と名づけていた。

「樹木」のタイトルのついた一つ。

「つまり、われわれは雪のなかの樹木の幹のようだ。のっかっているだけ、ちょいと突けば押しのけられる。いや、そうはいかない。大地にしっかり根を生やしている。しかし、どうだ、それもそう見えるだけ」

ただ、これだけ。雑誌に発表したときは、どれも標題がなく、Ⅰ～Ⅷのローマ数字だけがつけられていた。いかにもタイトルを必要としない。あるいは、つけようがない。

さらにいうと、これは雑誌に発表するために書いたものではない。ノートに書きさしにしていた小説『ある戦いの記録』の一部である。草稿では二人の対話になっているところで、地上にいる「人間のあり方」をめぐってのところ。

「つまり、われわれは雪のなかの樹木のようです。のっかっているだけ、ちょっと突けば押しのけられる。いや、そうはいかない。大地にしっかり根を生やしている。しかし、どうでしょう、それもそう見えるだけのこと」

カフカは自分の小説ノートの小さな部分を切り取り、独立させて雑誌社へ送った。あらためてタイトルをつけ、「観察」と題した十八篇のしめくくりの手前に入れたのは、主題をはっきりさせるためだったと思われる。

『火夫』は「一つの断片」とあるように、長篇『失踪者』の第一章にあたる。一晩で『判決』を書き上げたのが、さきほど述べたとおり一九一二年九月二十二日から二十三日にかけてのこと。それから三日後の二十六日から『失踪者』に取りかかった。最初にできたのが「火夫」の章。そこでは主人公は十七歳と書かれていた。

「女中に誘惑され、その女中に子供ができてしまった。そこで十七歳のカール・ロスマンは……」

ねばり強く書き継いだが、翌一三年一月、中断、そののち最終的に放棄された。

同じ一九一三年、ライプツィヒの出版者クルト・ヴォルフから原稿を求められた。すでに『変身』ができていた。クルト・ヴォルフは「虫の小説」というふうに聞いていたらしく、手紙に書いてきた。

「新作の『南京虫物語』をおもちだそうですが、拝見させていただけませんか?」

カフカはなぜか『変身』ではなく、『失踪者』第一章を送った。その際、主人公の年齢を一つへらして、十六歳にした。十七歳はすでに大人であって、「小さな大人」だとすると、十六歳はまだ少年、「大きな子供」というものだ。両親のいる楽園から追放されて、「大きな子供」が異郷へ渡る。年齢が一つ変わっただけで、一つの独立した短篇になった。

カフカはほぼ同じ時期に書いた『判決』『火夫』『変身』を一冊にまとめ、「息子たち」のタイトルを考えていた。その強い希望を伝えたが、「採算がとれそうもない」の理由で出版者が応じなかった。

Uブックス「カフカ・コレクション」刊行にあたって

このシリーズは『カフカ小説全集』全六巻(二〇〇〇―二〇〇二年刊)を、あらためて八冊に再編したものである。訳文に多少の手直しをほどこし、新しく各巻に解説をつけた。

本書は2009年刊行の『カフカ・コレクション 流刑地にて』第3刷をもとにオンデマンド印刷・製本で製作されています.

白水uブックス 156

カフカ・コレクション 流刑地にて

著者 フランツ・カフカ
訳者© 池内《いけうち》 紀《おさむ》
発行者 及川直志
発行所 株式会社白水社
東京都千代田区神田小川町 3-24
振替 00190-5-33228 〒101-0052
電話 (03) 3291-7811 (営業部)
(03) 3291-7821 (編集部)
http://www.hakusuisha.co.jp

2006年 7月 5日第1刷発行
2015年 1月15日第5刷発行
印刷・製本 大日本印刷株式会社
Printed in Japan

ISBN 978-4-560-07156-4